CAFÉ LOWENDAL

et autres nouvelles

Née en 1961, Tatiana de Rosnay est franco-anglaise. Elle est l'auteur de dix romans, dont *Le Voisin*, *Boomerang*, *Rose*, *À l'encre russe* et *Elle s'appelait Sarah*, best-seller international vendu à plus de neuf millions d'exemplaires dans le monde et adapté au cinéma en 2010. Elle a notamment publié deux recueils de nouvelles et, récemment, *Manderley for ever*, biographie remarquée de Daphné du Maurier. Tatiana de Rosnay a été désignée comme l'une des cinquante personnalités françaises les plus influentes à l'international par le magazine *Vanity Fair*. Elle vit à Paris avec sa famille.

Paru dans Le Livre de Poche :

À L'ENCRE RUSSE

BOOMERANG

LE CŒUR D'UNE AUTRE

ELLE S'APPELAIT SARAH

LA MÉMOIRE DES MURS

MOKA

PARTITION AMOUREUSE

ROSE

SON CARNET ROUGE

SPIRALES

LE VOISIN

TATIANA DE ROSNAY

Café Lowendal

et autres nouvelles

LE LIVRE DE POCHE

Café Lowendal

Café Lowendal a fait l'objet d'une première parution en 2013 dans le magazine *Elle*.

Pour T.T.
qui m'a donné l'idée de cette nouvelle,
malgré lui.

1

« On ne peut rien écrire dans l'indifférence. »

Simone de Beauvoir (1908-1986)
Les Mandarins

Cela fait cinq ans. Je peux à présent en parler. En parler sans frissonner. Je peux même
écrire son nom : Victoria. Victoria. Victoria.
Écrire son nom sans avoir mal au ventre. Sans
avoir envie de me cacher. Envie de la tuer.
Envie de pleurer. Envie de mourir. C'est long,
cinq ans. Long sur le papier. Cinq agendas.
Cinq étés. Cinq hivers. Un quinquennat. Mais
dans la vie, dans la vraie vie, celle qui coule,
fluide, celle qu'on ne voit pas passer, cinq ans,
c'est court. C'est comme hier. Je me souviens
de tout. Je me souviens de chaque instant. De
chaque détail. Je me souviendrai ma vie entière
de Victoria.

Je ne la connaissais pas. Nous avions un
homme en commun. Un homme dont j'avais
été très amoureuse, comme lui de moi. Une histoire longue, qui m'avait profondément mar-
quée.

Diego. Le genre d'homme qui traverse une existence comme une comète brûlant tout sur son passage. Et qu'une femme n'oublie pas.

Victoria, c'était après moi. Je ne savais pas grand-chose d'elle. Son métier, inattendu : ingénieur. Et puis sa beauté. Sa blondeur, sa ligne élancée. Victoria m'intriguait. On murmurait que Diego avait été épris d'elle. Pourtant, ils s'étaient séparés.

Il y a cinq ans, en mai 2008, j'habitais avenue de Suffren, dans un immeuble 1930 qui surplombe l'Unesco. Mes enfants faisaient leurs études à l'étranger, j'étais sans attaches, et je savourais cette nouvelle liberté que la vie m'offrait. L'appartement était spacieux, lumineux et calme. Je l'avais aménagé avec simplicité. J'y travaillais à mon nouveau roman, presque achevé. Je devais le remettre à la fin du printemps. Mon éditeur l'attendait avec impatience.

C'était une journée ensoleillée, fraîche encore, comme je les aimais. Une journée qui allait changer le cours de mon destin, mais je ne le savais pas. Un matin comme les autres. Je me souviens encore du T-shirt vert que je portais, acheté à New York, dans le Village.

Elle était assise sur un banc à l'angle de l'avenue de Lowendal et de l'avenue de Suffren. Une femme, au téléphone. J'avais juste eu le temps de remarquer ses jambes fines. Tous les matins, je m'imposais le même parcours sportif : je remontais l'avenue vers l'esplanade des Invalides pour revenir ensuite chez moi par l'avenue de Breteuil. Afin de ne pas être reconnue par mes lecteurs, je dissimulais mes cheveux roux attachés en catogan sous une casquette avec une visière assez longue. Aussi fus-je étonnée d'entendre une voix féminine s'exclamer : « Gabrielle Célas ! »

Il y a cinq ans, ma carrière d'écrivain s'étiolait. J'approchais de la cinquantaine, âge redouté. Le miroir me renvoyait l'image d'une femme encore séduisante, mais je supportais mal ces flétrissures qui marquaient mon visage, mon corps. Depuis une décennie je régnais sur le monde de l'édition en impératrice des lettres, depuis une décennie mes romans, publiés chaque année avec la régularité d'un métronome, dominaient le classement des meilleures ventes. Mais depuis quelque temps, les sorties décevaient mon éditeur. Il y avait eu un effritement des chiffres. Rien de bien préoccupant, mais il fallait faire quelque chose, selon lui. Mes lecteurs se lassaient-ils ? Sans doute. Mes romans étaient-ils trop formatés ? Trop similaires ? On me le reprochait. Oui, on le chuchotait, et je devinais ces mots impitoyables qui me faisaient frémir : *Gabrielle Célas est démodée. Lire Célas, c'est ringard.*

Il y avait eu ces nouveaux venus, ces jeunes doués, malins, qui avaient explosé sur la scène médiatique et dont les romans s'arrachaient dans le monde entier, comme Nicolas Kolt, mon ennemi de papier. La guerre entre mon éditeur et le sien était déclarée. Ce beau gosse de Kolt s'étalait avec insolence dans les gares, sur les culs de bus, dans le métro, sur des affiches en plein Paris. Partout. Il semblait parader. Les chiffres de ventes de son deuxième roman, qui se déroulait à Saint-Pétersbourg, étaient vertigineux. Il était passé en tête des listes. Du jamais-vu. Il me narguait. Du moins, je le ressentais ainsi, car pour avoir croisé Kolt sur les plateaux de télévision et dans les salons du livre, il fallait bien reconnaître qu'il était délicieux, tant à fréquenter qu'à regarder.

« C'est bien vous ? »
Elle était belle, de cette beauté simple des femmes qui n'ont pas besoin d'y travailler, de

s'apprêter, de se mettre en valeur. Elle ne me disait rien.

« Pardon, nous ne nous sommes jamais croisées, mais Diego m'a tellement parlé de toi. Je suis Victoria. »

Le tutoiement, à présent. Mais il ne m'a pas dérangée. J'ai trouvé cela plutôt cordial. La fameuse Victoria. Son sourire. Elle portait une jupe courte en jean, une chemise blanche. Sa peau était dorée. Pas de bijoux. Un regard vert-de-gris, franc, direct. Dix ans de moins que moi.

J'ai répondu, en souriant aussi : « Victoria ! Enfin un visage sur un nom. Je t'offre un café ? Tu as le temps ? Il y a un endroit que j'aime bien, avenue de Lowendal. »

Elle marchait à mes côtés, me dépassant d'une tête. Elle devait bien faire un mètre quatre-vingts, en ballerines. Un pas souple. Quelque chose de félin. Elle était fascinante. Je voulais tout savoir d'elle, de son histoire avec Diego. C'était, je l'avoue, un désir malsain. Entre Diego et moi, cela avait été une romance sauvage, limite. Il cultivait ce « borderline » amoureux, cet état de manque permanent, même s'il se trouvait dans la pièce à côté, et non sur un autre continent. Je me demandais comment il s'était comporté avec elle. Avait-il été plus doux ? Ou plus fou, plus extrême encore ?

Alors qu'elle prenait place en face de moi, au Café Lowendal, mes yeux ont glissé sur ses cuisses, fuselées et musclées. J'imaginais les mains de Diego sur cette peau-là. Sa bouche, sur elle. Leurs gestes. Leurs étreintes. Je ne ressentais aucune jalousie, si ce n'était de sa beauté. Mais d'eux, de leur passé, aucun ressentiment. Juste cette envie dévorante de savoir. De tout voir.

J'aurais dû la tenir à distance, cette soif d'intimité. Mais, quand elle a commencé à me parler de Diego, sans que j'aie eu besoin de la questionner, je l'ai laissée faire. Je l'écoutais, en remuant mon café-crème, en hochant la tête, simplement, comme s'il était tout naturel de parler d'un ex.

Mais parler de Diego n'était pas anodin. C'était ouvrir la porte à tous les dangers. J'aurais dû m'en douter.

Elle n'avait pas pu venir à l'enterrement. à l'époque, en 2005, elle était en poste en Scandinavie, et cela lui avait été impossible de se libérer. Je lui ai raconté ce qu'on avait déjà dû lui décrire, le petit cimetière en Bretagne, la bruine, le ciel bas, le vent, une foule compacte et silencieuse. Des parents dignes, encore sous le choc de cette mort brutale, l'accident de moto, en pleine nuit, sur l'autoroute. Sa nouvelle compagne, une jolie brune au visage pâle, se tenait au bord de la tombe, comme une fleur qui se fanait.

« En t'écoutant, j'ai l'impression d'y être. C'est ça, la magie des écrivains. »

J'ai commandé un autre café et j'ai ajouté :

« Les écrivains sont juste un peu plus observateurs.

— Peut-être. Tu sais, j'écris, ou j'essaie d'écrire, depuis longtemps. »

J'avais tant de fois entendu cette phrase, elle me remplissait d'emblée d'une sorte de terreur. Mes lecteurs me la répétaient sans cesse. Ils m'abreuvaient de manuscrits. Je ne savais plus quoi en faire. On les adressait à mon attention chez mon éditeur, ou on me les envoyait par courrier électronique, avec une pièce jointe. Je ne les lisais jamais. Ces piles de papier me faisaient peur. Tout le monde écrivait. Tout le monde aspirait à devenir auteur. Mais comment faites-vous ? me demandaient-ils. Moi aussi, je veux publier, dites-nous comment. Quel est votre secret ? On veut savoir. Quelle est votre recette ? Comment ça se passe ? Racontez-nous ! Dites-nous tout !

« Je ne sais pas par où commencer », m'a confié Victoria, en me fixant de ses yeux vert-de-gris. « Je prends des notes, j'ai plein de notes, mais je n'arrive pas à trouver le début. Je suis perdue. »

J'ai réussi à maîtriser l'ennui qui s'emparait de moi. Je ne supportais plus ces questions sur le processus d'écriture. Je n'avais aucune patience pour ces hordes d'individus qui rêvaient de devenir célèbres. Je pensais expédier ma réponse en quelques minutes, détourner la conversation.

Mais c'est alors qu'elle a prononcé cette phrase stupéfiante.

« Je suis en train d'écrire sur lui, sur Diego, sur sa mort, sur nous. »

Un frisson m'a parcourue des pieds jusqu'à la tête.

Le Café Lowendal n'était pas encore trop bruyant, ce matin-là. Il y avait les habitués avec leurs journaux, leur iPad, et les autres, les clients de passage, les touristes en route vers la tour Eiffel.

Et puis elle et moi, à la terrasse ensoleillée, en ce mois de mai. Comme si de rien n'était. Un piéton, en nous apercevant toutes les deux, n'aurait jamais pu imaginer ce qui se tramait.

Je le sais, maintenant, j'aurais dû changer de sujet de conversation. L'interroger sur son métier, par exemple. Sur son quotidien. Avait-elle un homme dans sa vie ? Des enfants ? Où avait-elle voyagé récemment ? Avait-elle vu un bon film ? Lu un roman intéressant ?

Mais au lieu de cela, j'ai succombé. Je n'ai pas résisté.

« Un roman sur Diego ? Et tu en es où ?

— Je ne sais pas, c'est encore brumeux. Je n'en suis nulle part. »

Un petit silence.

« Je peux t'aider, si tu veux. Y jeter un coup d'œil. »

2

« Les vrais paradis sont ceux qu'on a perdus. »

Marcel Proust (1871-1922)
À la recherche du temps perdu

Là où je vis maintenant, la solitude règne. Une très grande solitude. C'est le prix à payer.

Lorsque j'ouvre ma fenêtre le matin, c'est le bleu qui me saisit. Un bleu azur. Pur. Somptueux. Le bleu entre dans ma chambre. Il me nimbe. Il me fait du bien. Il efface la douleur. La souffrance. Pour quelques heures.

Ici personne ne me reconnaît. Personne ne sait qui je suis. Mon nom ne leur dit rien. Mon visage non plus. Je n'ai plus les cheveux roux, je ne les teins plus, ils sont d'un blanc immaculé et coupés à la Louise Brooks. Quand je descends au village pour faire mes courses au marché de la place, près de la fontaine, on me salue, gentiment. Je parle mal leur langue. Je communique avec des gestes, des sourires. Je suis la dame française qui a acheté la vieille maison en dehors des remparts de la ville. La dame seule qui ne reçoit jamais personne. La dame qui vit avec ses livres et ses deux chats.

Parfois, lorsque quelques touristes éreintés atteignent la place du village et prennent un verre à la terrasse du bar, je remarque que certains me lisent. C'est toujours un choc de constater que mes romans mènent désormais leur vie, sans moi, dans toutes les langues. C'est une sensation étrange. J'ai commis dix livres et ils n'ont plus besoin de moi pour se vendre, pour circuler.

Avant Victoria, je jouissais d'une certaine notoriété. Après Victoria, j'étais devenue une célébrité planétaire. Mais je ne suis pas restée en France pour en profiter. J'ai préféré fuir. Je n'avais pas le choix.

La maison est grande, pleine de bruits, de grincements, de craquements. Elle sent l'humidité, le moisi, la mousse, le vieux bois. Elle me protège. Elle est mon refuge. Au premier étage, se trouve la vaste pièce où je passe le plus clair de mon temps, face aux montagnes, face à la vue. Je peux suivre la trajectoire du soleil dans le ciel. Je n'ai rien ramené de Paris. J'ai tout acheté sur place, chiné dans des brocantes,

glané çà et là. Il ne faut pas s'attacher aux objets
ni aux lieux. On perd tout, ou on doit tout quitter. Je le sais, maintenant.

Les journées sont longues, les nuits courtes,
car je dors peu.

Depuis Victoria, mon sommeil n'est plus le
même.

Parfois j'écoute de la musique, très fort, au
milieu de la nuit. Il n'y a aucun voisin pour se
plaindre. Je mets les Rolling Stones ou Patti
Smith, à la puissance maximale. Je danse, seule,
dans cette pièce où il n'y a que des livres et une
table avec une chaise. Je fume une cigarette, je
me verse un verre de vin blanc. Quelques larmes
coulent, lorsque je pense à ma jeunesse envolée,
à mes belles années, à cette gloire que j'avais
effleurée. Que reste-t-il de tout cela ? Rien. Je
vois mon reflet dans la vitre, une femme d'un
certain âge, aux cheveux blancs, et je ne la
reconnais pas.

Où est passée la flamboyante romancière, la
rousse à la peau laiteuse, celle des plateaux de
télévision, celle qu'on arrêtait dans la rue pour
lui réclamer des autographes, celle qui ne pouvait plus répondre à son courrier, trop abon-
dant ? Gabrielle Célas n'existe plus. Elle n'est

qu'un mirage. Je me demande ce qu'ont pensé mes lecteurs. La plupart savent que j'ai souhaité disparaître, après. Ils ont dû se persuader que j'allais écrire un nouveau livre, tourner la page, finir par revenir. Mais je ne suis jamais revenue. Je suis partie. Pour toujours.

Jusqu'à la fin de mes jours je continuerai d'écrire, mais plus rien ne sera publié. Je l'ai précisé à mon notaire, à mon avocat, et c'est inscrit dans mon testament. Dans la grande cheminée de pierre, je brûle tout ce que j'ai pu écrire depuis que je vis ici. Personne ne me lira. Plus jamais. C'est ainsi.

Mes chats sont mes compagnons. Ils me voient, tard dans la nuit, noircir ces pages qui finiront en cendres. Il n'y a pas de téléphone dans la vieille maison au jardin vert. Seulement une connexion Internet. Je parle avec mes enfants sur Skype, une fois par mois. Ils vivent leur vie. Ils ont fondé des familles, à présent, ont eu des enfants. Ils s'imaginent que je me suis remise du scandale. De tout ce qui a suivi. Ils sont convaincus que j'ai fini par oublier Victoria.

Ils ne savent pas que je ne pourrai jamais oublier.

Ce jour-là, en mai 2008, au Café Lowendal, celui où tout s'est joué, elle avait dit :

« Vraiment, Gabrielle ? Tu as le temps de regarder mes notes, mon brouillon ? Tu dois être si prise ! »

Et j'avais répondu, souriante :

« Mais si, j'ai le temps, cela me fait plaisir. Comment veux-tu procéder ?

— Je ne sais pas ! s'était-elle exclamée. Je n'en ai aucune idée ! C'est toi, la grande romancière, c'est toi qui sais écrire. Moi je tâtonne maladroitement, je tourne autour de ce livre depuis la mort de Diego. Je m'y perds. »

Je lui ai suggéré de m'envoyer ses notes par courrier électronique. J'examinerais le tout, ensuite je la reverrais pour en discuter avec elle. Qu'en pensait-elle ? Elle semblait ravie. Émue, même.

« Mais c'est vraiment sans queue ni tête, c'est du charabia. Je suis sûre que tu vas trouver ça nul. J'ai honte de te donner ça à lire. Sans y retravailler.

— Il faut bien se lancer, lui ai-je dit. Il faut bien commencer ! Je vais t'aider. Je vais voir comment on peut mettre de l'ordre dans tes notes, je vais essayer de te montrer le chemin. Te mettre sur la voie, en quelque sorte. Puis, après, ce sera à toi de travailler. »

Quelle hypocrite je faisais ! Comment lui avouer que je me fichais de son manuscrit, ou de la publication éventuelle de celui-ci. Tout ce qui m'intéressait, c'était ce que je pouvais glaner concernant Diego, sa relation avec Diego. Comment n'ai-je pas flairé la suite ? Ma curiosité grandissante prenait le pas sur toute lucidité. J'étais aveuglée par mon désir de lever le voile sur leur histoire.

Diego me fascinait depuis toujours, plus encore depuis sa mort. Écrire sur lui ? J'y avais songé. Mais je n'avais jamais osé. Cela me semblait impossible. C'était trop charnel, trop fusionnel, trop intime. Notre séparation, trop déchirante.

Notre aventure avait commencé juste après mon divorce, en 2003. J'avais fait sa connaissance à la projection du premier film d'un ami commun. Au cocktail qui s'en était suivi, j'avais remarqué qu'un homme vêtu d'un blouson en cuir me fixait de ses yeux noirs. J'en étais mal à l'aise.

« C'est vous, l'écrivain ? »

Sa question avait fusé, sans un sourire. Sans agressivité, non plus. Une simple question. Directe. J'avais répondu que oui, c'était moi l'écrivain. Et je lui avais fait une sorte de révérence. Il avait ri. Et tout avait commencé ainsi. Par ce rire-là. Et ce regard.

Il avait une dégaine de rocker des années 1970, un genre de Jim Morrison à la française, une large bouche, des cheveux longs, des dents très blanches. On subodorait tout de suite qu'avec lui, ce serait différent, ce ne serait pas de tout repos, on y laisserait des plumes, une partie de son âme. Il était journaliste à la radio. Les auditeurs écoutaient sa voix jusqu'au bout de la nuit. Grave. Masculine. Bouleversante. Sensuelle.

« Et toi, tu l'as connu où, Diego ? »

Victoria avait répondu, ce jour-là, au Café Lowendal :

« Dans un train. »

Et elle avait souri, mystérieusement.

Dans un train…

Je ne pensais plus qu'à cette rencontre ferroviaire. Elle m'obsédait. Je brûlais de lui demander des détails, mais je ne voulais pas me trahir. Nous nous étions quittées, après un échange de coordonnées, et j'étais remontée chez moi. J'avais passé deux ou trois jours à guetter mes courriels.

Il y a cinq ans, au moment où cette histoire allait tout bouleverser dans ma vie, je passais le plus clair de mon temps à écrire, à travailler sur le roman que je devais remettre au plus vite à mon éditeur. Je ne sortais pas, ou peu, je ne voyais que des amis proches, ou les membres de l'équipe de la maison d'édition. J'attendais ses notes. Je les attendais fébrilement. Je n'attendais plus que cela.

Son envoi est arrivé trois jours plus tard. Un fichier Word enregistré sous le titre « Roman ». J'ai cliqué dessus, puis j'ai directement lancé l'impression du fichier. Il comptait une soixantaine de pages. L'imprimante ronronnait, crachait le papier, et moi, je patientais. Je m'étais versé un verre de chardonnay, en attendant, et je regardais par la baie vitrée.

L'appartement de l'avenue de Suffren était au dixième étage. Je voyais le toit de l'Unesco, ses drapeaux qui flottaient dans le vent, j'apercevais l'avenue de Ségur, l'avenue Duquesne, le dôme doré des Invalides.

Lorsque l'imprimante s'est arrêtée, je suis allée chercher le paquet de feuilles, puis je me suis installée sur le canapé.

Avant de commencer à lire les notes de Victoria, j'ai eu un pressentiment. Quelque chose de fugace, comme une ombre qui s'est glissée dans mon dos. Cela m'a fait frissonner.

J'ai hésité. Il était encore temps, après tout, de ne rien lire. De jeter ce que j'avais imprimé. De prétexter que je n'avais pas eu un moment, finalement, d'inventer une excuse.

Mes yeux se sont attardés sur le premier paragraphe.

***

Rencontre dans un train.

Personne d'autre dans le compartiment. Juste eux. Eux deux.

Elle, robe en jean. Lui, blouson en cuir noir, jean noir. Il porte un casque de moto. Elle lit un dossier sur son ordinateur portable.

Ils sont assis face à face.

Sous la table, leurs genoux se frôlent. Ils n'y prêtent pas attention.

Elle est concentrée sur son texte. Lui, scrute le paysage qui défile.

Leurs yeux se rencontrent.

Quelque chose d'immédiat.

Une urgence. Une évidence.

Là, tout de suite.

Maintenant.

Je savais déjà que je n'allais pas pouvoir arrêter ma lecture.

3

« Les vilaines pensées viennent du cœur. »

Paul Valéry (1871-1945)
Mélange

Parfois, dans mon sommeil, ce repos court et comme asséché que je subis depuis que je vis ici, le même cauchemar vient me hanter. Je suis dans ma chambre, cette chambre où je m'endors tous les soirs depuis bientôt trois ans, cette chambre qui est apaisante, qui me réconforte, et qui, pourtant, l'espace d'un instant, devient un lieu de terreur.

C'est une chambre sous les toits, au plafond barré de poutres et aux murs de pierre. Une fenêtre s'ouvre sur le jardin parfumé, et lorsque la brume de chaleur se lève, au loin, on devine la mer.

Dans ce rêve, une femme ouvre la porte sans bruit. Elle avance silencieusement, courbée, recroquevillée sur elle-même, comme si elle portait un fardeau. Elle s'approche du lit où je dors, jusqu'à ce que je sente son haleine sur mon visage, un souffle fétide, malodorant, un relent de miasmes répugnant. Elle se balance d'avant en arrière, mécaniquement, comme une horrible poupée, en chantonnant à voix basse. Je ne vois pas son visage, je ne sais pas si elle est jeune, ou vieille, mais je sais qu'elle me fait peur et que je voudrais qu'elle s'en aille. Le chant devient une sorte de cri lancinant, grinçant, et ses mains rampent le long des draps, avançant vers moi comme des insectes. J'essaie de me détourner d'elle, mais c'est impossible. J'ai l'impression qu'un poids insurmontable s'est posé sur ma poitrine, qu'il me bloque sur le lit, que je ne peux bouger. Je suis transie, rigide, gelée. La femme m'implore, elle murmure mon prénom, à voix basse, une voix rauque, dérangeante. Je sais que je dois me faire violence pour bouger, pour lutter contre cette torpeur asphyxiante. De toutes mes forces, je tente de lever un bras, puis l'autre, et lorsque je me retourne enfin, apeurée, je vois avec horreur qu'elle porte un bébé dans les bras, un petit être ensanglanté et mou, comme un paquet de linge éclaboussé de rouge, et qu'elle me le tend, en criant, elle veut que je le prenne dans mes bras, et je sens déjà sur moi l'odeur abominable du nourrisson mort.

Le réveil est brutal, affreux. Il me faut un certain temps avant de pouvoir respirer normalement. Je dois descendre à la cuisine, les chats sur mes talons, pour boire un verre d'eau fraîche. Mais je sais déjà que mon sommeil ne reviendra pas, que la nuit sera encore longue avant l'aube. Il ne me reste qu'une chose à faire, me remettre à ma table de travail, et écrire. Écrire. Il n'y a plus que cela dans ma vie à présent.

Je ne sais pas qui est cette *mater dolorosa* qui hante mes nuits. Je ne reconnais pas son visage cireux, son faciès amaigri et lugubre. Je sais en revanche pourquoi elle me tend un enfant mort. Elle me tend l'enfant que j'aurais dû avoir de Diego. L'enfant que je n'ai pas voulu garder. L'enfant que lui désirait, plus que tout. Cet avortement clandestin, que j'ai tu même à mes amis proches, même à mon ex-mari, fut la raison de notre rupture. Diego n'a jamais eu d'enfant, après moi, en dépit de ses liaisons, en dépit de Victoria. Il est mort dans un accident de moto, sans descendance.

Les notes de Victoria m'avaient fascinée à tel point que j'avais tout lu d'une traite, oubliant même que j'avais un dîner ce soir-là avec une amie. En effet, c'était un fourre-tout de mots, des séries de phrases ineptes qui ne concernaient que Diego et leur histoire. Mais je ne parvenais pas à me détacher de ce fouillis sans début ni fin, que je lisais comme un journal intime dont j'étais la seule à pouvoir décrypter le sens et débusquer les codes secrets. La curiosité enflait en moi, comme une espèce de faim rapace dont j'avais un peu honte. Je me délectais des détails de leurs retrouvailles, de leurs nuits, des attentes lorsqu'elle voyageait, des conversations nocturnes, des disputes, des fous rires, des conflits. C'était une lecture âpre et sensuelle, incohérente, troublante, la liste désordonnée de leur vertige amoureux. Tout y était, en bribes décousues, le premier rapport sexuel dans les toilettes du train, Victoria debout, le ventre contre le lavabo poisseux, lui arrimé à ses reins, les doigts emmêlés dans ses cheveux, leurs deux visages hagards dans le miroir taché, la montée du plaisir, le questionnement de l'après.

Il me fallait réfléchir ensuite à comment parler à Victoria, comment lui annoncer que ce fatras de notes (pourtant passionnantes pour moi, qui avais connu Diego) n'était pas intéressant pour un lecteur, qu'il fallait y trouver un sens, qu'elle devait y mettre de l'ordre. Je ne la connaissais pas bien, après tout, je ne pouvais pas anticiper ses réactions.

Comment prendrait-elle mes remarques ? J'avais décidé de lui donner rendez-vous au Café Lowendal, et de lui expliquer gentiment, fermement, que telles quelles, ses notes n'étaient pas publiables. Je n'avais pas le temps de me pencher sur ce bazar pour en extirper une trame intelligible. C'était à elle de faire ce travail. Si elle souhaitait écrire un roman, elle devait s'y atteler.

Elle était venue me retrouver au Café Lowendal, les cheveux attachés, vêtue d'un tailleur d'été strict, qui n'ôtait rien de sa beauté.

Sa douce blondeur était trompeuse. Je me doutais que sous cette apparence fragile, diaphane, se cachait une poigne de fer. Ma curiosité s'éveillait à nouveau. Qu'avait puisé Diego dans ce mélange déconcertant de force et de fragilité ? Malgré moi, je revoyais l'épisode du train, il me semblait même que j'avais assisté à ces premiers ébats et que j'en avais glané une sombre jouissance.

Elle devait se rendre à Madrid pour une conférence. Pressée, l'œil rivé sur sa montre, Victoria ne parlait pas de son métier. J'avais beau la questionner, elle me répondait de façon évasive. Elle voulait écrire. Écrire, point. Elle voulait savoir comment démarrer ce roman. Puis, une fois terminé, pourrais-je l'aider à trouver un éditeur, moi qui connaissais parfaitement le monde de l'édition ? Valait-il mieux qu'elle prenne un pseudo ? Ou qu'elle le publie sous son vrai nom ? Que pouvais-je lui conseiller ?

« Mais tu mets la charrue avant les bœufs ! » je lui avais dit, avec une pointe d'impatience.

Comment lui faire comprendre qu'écrire, c'était se retrouver seule avec soi-même pour raconter une histoire qui serait lue par d'autres ? Et que cela pouvait prendre quelques années ?

« De quoi veux-tu parler ? lui ai-je demandé, sèchement. Tu veux écrire sur quoi ? Car toutes ces notes, tu le vois bien, ne vont nulle part. Elles n'ont pas de sens pour un lecteur. Que veux-tu montrer, exactement ? »

Elle semblait perdue. Ses yeux clairs me regardaient, ses paupières battaient.

« Je veux parler de lui.

— C'est bien joli, de parler de lui, ai-je rétorqué, agacée, le tout est de savoir comment. Il faut que tu exprimes quelque chose de personnel. Il faut que tu ailles au fond de toi, au plus profond en toi, et que tu l'exprimes.

— Je me mets trop de barrières. J'ai peur.

— Mais de quoi as-tu peur ? » j'ai demandé, étonnée.

Elle a hésité.

« Peur de ce que pourraient penser les autres.

— Si tu as peur de ce que pensent les autres, alors tu ne pourras jamais être écrivain, Victoria. »

Je n'avais pas voulu que ma voix soit cinglante, pourtant elle l'a été. Victoria n'a pas répondu. Elle a terminé de boire son thé, calmement, sans me regarder. Était-elle fâchée ? Je n'arrivais pas à le savoir.

43

Le Café Lowendal était désert ce matin. Beaucoup de Parisiens étaient partis pour un long week-end printanier. Nous étions seules.

Elle a dit, enfin, avec un ton bourru, qui m'a étonné d'elle :

« Donne-moi un dernier conseil, quand même ! Quelque chose qui me permette d'avancer.

— Écris la scène qui te tient le plus à cœur dans ce roman que tu rêves d'écrire. Imagine tes personnages, prends un carnet, note tout à la main, tu dois les voir, tes personnages, tu dois savoir comment ils s'habillent, comment ils mangent, comment ils parlent, ce qu'ils aiment, ce qu'ils détestent. »

Elle a semblé satisfaite de ces suggestions, et m'a remerciée. Nous sommes convenues de nous revoir lorsqu'elle aurait écrit cette scène, et défini ses personnages. Je suis remontée chez moi, avenue de Suffren, pensive. Parviendrait-elle à écrire ce roman, avait-elle réellement ce don ? Je revoyais son visage grave et gracieux, le pli de son cou souple sous le catogan, l'intelligence de son regard.

Un courriel de mon éditeur m'attendait sur mon ordinateur. Il s'inquiétait de l'avancement de mon roman. Si je voulais repasser devant Nicolas Kolt dans le palmarès des meilleures ventes, il fallait mettre les bouchées doubles. Son plan marketing à la rentrée allait être agressif. J'en étais déjà épuisée. Et la promotion n'avait même pas commencé !

Je devais terminer le livre. Encore quelques semaines de travail. Me mettre à mon bureau m'a semblé impossible, ce soir-là. Ce courriel m'avait contrariée. Cette manie de voir les auteurs comme des produits m'exaspérait. Nous étions des êtres humains, en chair et en os ! Pas des machines. Kolt avait sa jeunesse pour lui et la beauté du diable. Du talent, aussi, bien sûr. Son deuxième roman, beaucoup plus noir que le précédent, était magnifique, déchirant. J'aurais pu le jalouser, ce jeune homme, le maudire, vouloir sa perte, mais, je l'ai déjà dit, il était charmant. Je prenais plaisir à le rencontrer. Et voilà que mon éditeur déclarait la guerre au sien.

Alors que je me morfondais dans ma cuisine, à me préparer un dîner sommaire, j'ai reçu un SMS de Victoria.

Café Lowendal *et autres nouvelles*

Merci pour tout ce que tu fais pour moi. Tu es généreuse. C'est rare. V.

Le mot généreux m'a fait éclater d'un rire sardonique. Généreuse ! Pauvre idiote ! Ne se doutait-elle pas que les écrivains se nourrissent des autres ?

4

« *On ne doit plus craindre les mots lorsqu'on a consenti aux choses.* »

Marguerite Yourcenar (1903-1987)
Alexis ou le Traité du vain combat

Mon éditeur s'appelle Maurice. Je ne sais pas comment il s'est remis de ma fuite, ni comment il a géré « l'après ». Je revois son regard sombre, son bouc, son imperméable gris. Je sens encore son eau de toilette citronnée. L'été, il portait un panama. Je pourrais aller au village, à la poste, dans une cabine téléphonique, et l'appeler. Maurice n'a pas dû changer de numéro de portable. Je pourrais aussi lui envoyer un courriel. Je pourrais lui raconter ma nouvelle vie à l'autre bout du monde, dans cet endroit perdu. Je pourrais lui décrire ma maison, ma solitude, ma résilience. Je lui parlerais de ces journées à écrire des livres que personne ne lira plus. Ces journées sans entendre le son de ma propre voix, sauf pour murmurer quelques mots à mes chats. Mais je sais très bien que je ne le ferai jamais.

Je l'ai laissé tomber. J'ai fui. Je n'ai même pas envoyé un petit mot pour expliquer que je partais. Comment faire face à un auteur qui disparaît du jour au lendemain ? Un auteur à succès, de surcroît. Le plus ironique, c'est que mes droits d'auteur continuent à tomber, grassement, puisque mes livres se vendent toujours, dans le monde entier. Mais je regarde cela de loin. C'est mon conseiller fiscal qui s'occupe de tout, à Paris. Maintenant que je n'habite plus en France, mes impôts sont moins conséquents. Cela l'arrange. Moi, je m'en fiche.

Je me souviens de l'expression de Maurice quand je l'ai retrouvé à sa demande, à son bureau, pour la dernière fois, en 2010. Un visage défait. Il m'a donné la lettre des avocats, sans un mot.

J'ai senti mon sang se glacer. J'ai tout de suite compris, avant même de lire le courrier.

Mais on ne peut pas revenir en arrière. On ne peut jamais retourner en arrière.

Maurice me manque. C'est peut-être la seule figure du milieu germanopratin à qui je pense aussi souvent. De nos jours, ce n'est pas facile d'être éditeur, de se battre contre les menaces du numérique, de faire face à la désaffection des lecteurs, aux fermetures des librairies. J'entretenais des rapports de confiance avec lui. Une fois par mois, il m'emmenait déjeuner à La Closerie des Lilas. Il me parlait de son métier, des livres. Je lui faisais part de mes doutes. Il m'encourageait, m'assurait que j'étais la meilleure.

Nous avions toujours la même table, près de l'entrée du restaurant, à gauche. De là, nous pouvions voir, et être vus, ce qui enchantait Maurice. Il mettait son plus beau costume, ses cravates les plus colorées. Il se faisait beau, pour moi. J'appréciais cette intention. Maurice ne manquait pas de noter qui rentrait dans la célèbre brasserie, et me murmurait des commentaires, souvent amusants, sur les autres convives. Il y eut plusieurs années fastes. Le champagne coulait à flots. Les livres se vendaient tout seuls. Cela semblait si facile. Je ne me posais pas de questions, lui non plus. On avait l'impression que le succès était voué à durer.

Puis est arrivé le jour où Nicolas Kolt a grillé ma première place dans les meilleures ventes. Maurice n'en revenait pas. Il n'avait qu'une idée en tête, faire repasser Célas devant Kolt. J'avais beau lui dire que ce n'était pas si grave, qu'il ne devait pas le prendre aussi mal, il ne voulait pas en démordre.

Maurice m'infligeait une pression infernale pour que je lui remette le roman en temps et en heure. Il n'avait encore rien lu du livre. Je refusais de lui donner le texte avant de l'avoir fini. Je ne l'avais jamais fait. Mais son impatience nouvelle me rendait anxieuse. J'avais tenté de lui expliquer qu'il m'empêchait d'écrire, que le livre serait moins bon, il ne voulait rien entendre.

Maurice a commencé à me téléphoner chaque jour pour savoir où j'en étais. Je l'ai vécu comme un harcèlement. Nous nous sommes même disputés. J'ai menacé de le quitter, de changer d'éditeur. Finalement, nous nous sommes réconciliés à La Closerie des Lilas, autour d'une coupe de champagne.

Au fond de moi, je n'étais pas satisfaite du livre que j'étais en train de terminer péniblement. Je le trouvais convenu, insignifiant. J'avais beau passer des heures devant ma table de travail, reprendre des passages entiers, tenter de leur insuffler un peu de vie, d'énergie, de force, tout restait désespérément plat. Avais-je perdu ma magie ? Ma plume s'était asséchée. Pourquoi était-ce si laborieux d'écrire ? Comment ne pas décevoir ces millions de lecteurs aux quatre coins de la terre ? J'imaginais déjà l'expression désolée de Maurice. Comment allait-il pouvoir défendre un mauvais livre ? Un roman qui n'avait pas de souffle, de vitalité, d'originalité ?

Le roman fut publié, comme prévu. Un roman mort-né. Lors de sa parution, fin août 2008, il rencontra un succès plus que mitigé. La critique se montra féroce. Les lecteurs, peu emballés. Ce livre ennuyait mes « fans », et ils avaient bien raison. Il était pétri d'ennui. En dépit des affiches, des interviews, de la mise en avant du livre dans les librairies, les ventes se sont effondrées. Kolt a triomphé. Il fut à nouveau numéro un. Et moi, loin derrière.

J'ai connu une période affreusement humiliante. Jamais je ne me suis sentie aussi seule de ma vie. J'en voulais à Maurice, qui avait insisté pour publier ce roman, coûte que coûte, sans m'écouter. J'en voulais à mes amis qui ne savaient pas comment me consoler. J'en voulais à mes parents qui ne me disaient pas ce que je souhaitais entendre, à mes enfants qui étaient à l'étranger et qui ne mesuraient pas ma souffrance. Je m'enfermais chez moi et je ne répondais à aucun appel, à aucun courriel. J'avais pris

huit kilos en quelques mois à peine, et la méno-
pause n'avait rien arrangé.

Pendant tout l'automne, j'ai enduré. J'ai
pris sur moi. J'ai essayé de faire le dos rond,
d'encaisser. Je garde un souvenir épouvantable
de cette période. Mais je sais maintenant que
cette souffrance a semé les germes de mes actes
ultérieurs.

C'est de cette violence muette qu'est née la
suite.

Je pense souvent au Café Lowendal. Je revois ses stores beiges, son mobilier orange. L'accueil chaleureux du patron, qui savait que je ne commandais que des cafés-crème. La musique « lounge » jouée en boucle. Le trafic incessant de la place Cambronne. La terrasse en été. Le chuintement particulier du métro aérien. Les gamins qui chahutent dans le square. Trois fois par semaine, un homme d'une soixantaine d'années venait prendre un thé en milieu de matinée avec sa vieille mère. Il avait les cheveux gris acier, des costumes d'une élégance soignée. Les yeux noisette, un teint basané. Elle, cacochyme, ridée, portait des tailleurs Chanel qui embaumaient la naphtaline et le Chanel numéro 5. Je me souviens de son chignon apprêté, de ses ongles manucurés, des lourdes bagues sur les doigts maigres. J'aimais les regarder, imaginer leur vie. Les romanciers font cela à merveille, imaginer la vie des autres.

Cela me paraît si loin, à présent.

Mes enfants sont convaincus qu'un jour je reviendrai à Paris. Ils ont tort. L'appartement de l'avenue de Suffren a été vendu. Je me demande parfois qui y vit maintenant. Je revois mon bureau, face à la baie vitrée, je me revois en train d'écrire ce roman. Ce roman-là. Ce roman maudit.

Victoria m'avait fait signe en janvier 2009. Un hiver particulièrement froid s'était abattu sur Paris. Tout le quartier était blanc, recouvert d'un épais manteau de neige. Je l'attendais au Café Lowendal, grelottante, les mains autour d'une tasse de chocolat chaud.

J'ai tout de suite deviné que mon apparence l'avait choquée. Tous ces kilos accumulés depuis notre dernière rencontre. Et elle, toujours d'une minceur sylphide. Elle n'a pas mentionné les mauvais chiffres de mon dernier livre, ni sa presse calamiteuse, et je lui en ai été reconnaissante. Je n'avais pas le courage d'en parler. C'était un sujet tabou. Mon entourage l'avait compris. Mon éditeur aussi.

« Je t'ai apporté mon carnet de notes, et la scène que tu voulais que j'écrive. »

Sa voix, calme, posée. Mais une certaine souffrance dans le regard.

« J'ai vraiment eu du mal ! Je crois que je ne suis pas faite pour être romancière. Tu vois, rien que ces quelques pages, ça m'a pris des mois. Des mois ! Je me demande comment tu fais pour écrire un bouquin. Je t'admire ! »

Mes yeux se sont posés sur le carnet. J'ai oublié le froid, la neige, le ciel gris, ma mélancolie. Je ne voyais que son écriture, fine et penchée, presque scolaire, ses mots.

Dans le carnet, j'ai découvert deux personnages. Un homme, un poète, sombre et torturé, qui aurait pu ressembler à Diego. Une héroïne, blonde et fine, architecte, Victoria elle-même. Je me souviens d'avoir lu ces descriptions attentivement, comme si ma mémoire photographiait le tout. Leurs défauts, leurs qualités, leur saveur.

La scène était une dispute. Visiblement la dispute qui avait scellé la fin de leur couple. C'était bien écrit, fluide, avec une puissance assez remarquable. La narratrice reprochait au poète de ne pas l'aimer, d'être peu présent. Lui, ne supportait pas qu'elle le « colle », revendiquait sa liberté.

En la lisant, j'ai goûté au plaisir trouble de regarder par le trou de la serrure, d'épier l'intimité d'un couple qui me fascinait. C'était une impression à la fois inédite et familière. Comme si je savais déjà tout d'eux, comme si je n'avais rien à apprendre de leur liaison tout en étant dévorée par une curiosité malsaine. J'étais comme un voyeur, grisé par des images interdites, et qui ne sait plus s'arrêter.

C'est ce jour-là, au Café Lowendal, alors que la neige tombait doucement dehors, et que Victoria posait son regard vert-de-gris sur moi, que l'idée m'a traversé l'esprit, pour la première fois.

L'idée qui allait tout bouleverser.

*« Les gens qui voyagent sont toujours
des fugitifs. »*

Daphné du Maurier (1907-1989)
La Crique du Français

Daphné du Maurier (1907-1989)

Le Conte du Peuple

Dans cette île au bout du monde, là où je vis à présent, c'est l'été éternel. La moiteur tropicale règne, maîtresse, gorgée d'odeurs vertes et grasses. Je n'ai pas porté de manteau, d'écharpe, de bonnet, depuis que j'habite ici. Je ne sais plus ce qu'est le froid. De temps en temps, je me rends à vélo à la plage, et j'y passe la journée. Je nage loin et longtemps, jusqu'à ce que mes membres soient endoloris. Depuis trois ans, à force de nager, de pédaler, je me suis sculpté un corps ferme, musclé. Ma peau laiteuse est devenue ambrée. Des enfants jouent avec moi, me demandent de lancer leur cerf-volant. Ils me rappellent mes propres enfants, si loin, et mes petits-enfants, que je connais peu. Que savent-ils de leur grand-mère ? La romancière. Celle qui est tombée en disgrâce. Celle qui ne publiera plus.

Un jour, peut-être, si j'en ai le courage, ou la force, je leur raconterai l'histoire de Victoria.

Pour qu'ils connaissent la vérité. Pour qu'ils ne s'en tiennent pas à ce qu'ils pourraient lire dans ces articles remplis de fiel que leurs parents ont dû garder, me concernant.

Je pourrais leur dire que je suis partie parce que je ne supportais plus ces calomnies, les horreurs qu'on déversait sur moi. Les journalistes se sont jetés sur cette affaire comme des rapaces. Ils ont piétiné ma vie, mon honneur. Mais tout cela, elle l'avait prévu. Elle. Victoria.

La neige continuait à tomber, avenue de Suffren, même tard dans la nuit, en ce début 2009. J'écrivais comme je n'avais pas écrit depuis longtemps. Le livre s'emparait de moi. Je revoyais l'enterrement de Diego, la Bretagne, les cieux gris. Je me rappelais le choc de sa mort, l'annonce au téléphone, son meilleur ami, la voix brisée. Je revivais l'avortement, cet épisode que j'avais voulu enfouir au plus profond de moi. « Je ne veux pas de cet enfant, Diego, tu dois comprendre, j'ai déjà deux enfants, j'ai plus de quarante ans, je n'ai pas le courage de redevenir maman. Même pour toi. » Il m'avait craché ces mots-là au visage, ivre de rage, de douleur : « Même pour moi ! Mais regarde-toi, Gabrielle, regarde ton égoïsme, cet enfant, c'est le mien aussi, c'est mon enfant, sauf que je ne peux pas le porter, je ne suis pas femme ! Tu n'as pas le droit de le supprimer, ce n'est pas un objet, c'est un bébé, tu m'entends, Gabrielle, un bébé, c'est mon bébé ! » J'avais tenu bon. Même si je l'aimais, lui, Diego, d'un amour déraisonnable, démesuré, je ne voulais pas d'autre enfant. J'étais partie avorter, seule. À mon retour, Diego s'était envolé. Il n'y avait plus rien à lui dans l'appartement que nous partagions alors, près de la rue de Lourmel. Il avait coupé les ponts. Je n'ai plus jamais eu de signe de vie. J'avais essayé de le contacter, j'avais écrit des lettres, en vain. Je pensais souvent à cet enfant qui aurait eu une dizaine d'années aujourd'hui. L'enfant de Diego, que je n'avais pas voulu garder. Un garçon ? Une fille ? Ce petit être me hantait.

Écrire sur Diego me libérait, ouvrait des vannes longtemps verrouillées. Jamais je n'avais osé quelque chose d'aussi personnel. D'aussi intime. Pour me protéger, par pudeur, j'avais fait de lui un rocker. Quant à moi, je m'étais glissée dans la peau d'une conservatrice de musée. Mais tout le reste, c'était nous. Notre rencontre, notre folle passion, nos nuits d'amour, nos excès, puis le bébé, l'avortement, la séparation. Je me suis arrêtée à sa mort. Dans mon roman, c'était moi qui mourais, pas lui.

J'ai écrit ce livre comme une forcenée, attachée à mon bureau, nuit et jour. Plus rien ne comptait, pas même le printemps qui revenait. Maurice se demandait ce qui m'arrivait. Mes amis aussi. Je ne leur donnais aucune explication. Victoria m'avait laissé un message sur mon portable. Elle était en voyage, elle pensait à moi, mais elle n'avait pas du tout avancé. Je m'en fichais. Je voyais déjà la fin de mon roman, comme un marin voit s'approcher la terre ferme après un long voyage. Le roman était devenu mon univers, la planète autour de laquelle je gravitais.

Quand le livre fut publié, en août 2010, sous le titre de *Métro Lourmel*, il était comme touché par la grâce. Les libraires le plébiscitaient, les lecteurs se l'arrachaient. La presse était dithyrambique. On proclamait partout que Gabrielle Célas avait réussi son retour. J'avais ravi la première place à Nicolas Kolt, qui, beau joueur, m'invita à déjeuner au restaurant La Méditerranée, place de l'Odéon, fréquenté par toute l'édition, pour fêter ma victoire. J'étais portée par le succès du roman. Plus rien ne pouvait m'atteindre.

Quand je repense à cette période, je me trouve si naïve. Si gourde. Je n'ai rien vu. Rien vu venir. Rien anticipé de la catastrophe qui allait m'anéantir.

Sur la lettre que m'a tendue Maurice, peu après la parution du livre, dans son bureau, il y avait le nom de Victoria. Elle m'assignait en justice pour plagiat. Au début, je n'ai rien compris. J'ai regardé Maurice, éberluée. Silencieuse.

Puis il a dit, doucement :

« Gabrielle, réponds-moi. T'es-tu inspirée du manuscrit de cette femme ? »

Une sorte d'horreur glacée m'a envahie. Que voulait-il dire ? Quel manuscrit ? Il n'y avait jamais eu de manuscrit. Juste des notes incompréhensibles dont je ne m'étais absolument pas servie.

Maurice m'a tendu un autre document. Une vingtaine de pages, reliées. Tamponnées par la SACD, la société des auteurs et compositeurs dramatiques. C'était une nouvelle. Une nouvelle qui ressemblait étrangement à *Métro Lourmel*, comme si elle en était le concentré. Tout y était. Tous les ingrédients du livre. La rencontre torride entre un homme et une femme, le bébé, l'avortement, la rupture. L'appartement de la rue de Lourmel. Les détails sensuels et intimes, les mots d'amour, la passion. Puis le conflit, le ressentiment, la déception.

J'étais incapable de prononcer un mot.

« C'est elle qui m'a pillée ! ai-je enfin articulé, consternée. Comment peut-elle prétendre le contraire ? C'est elle qui a copié *Métro Lourmel*, Maurice ! Elle a tout copié ! »

La voix de Maurice a résonné, hésitante, inquiète.

« Ce résumé est un dépôt, Gabrielle. Il est la preuve attestant de l'existence de l'œuvre à une date déterminée. Il a été déposé par Victoria Sanders à la SACD le 15 avril 2008. »

Le 15 avril 2008.

Deux semaines avant ma rencontre avec Victoria, en mai 2008, sur le banc de l'avenue Lowendal.

Ma bouche était complètement sèche. Un vertige puissant s'est emparé de moi. J'avais la gorge nouée, les mains qui tremblaient, du mal à respirer.

Comment tout expliquer à Maurice ? Par quoi commencer ? Je n'arrivais plus à parler. Incapable d'articuler un mot. J'avais l'impression d'être au bord d'un précipice, de vaciller quelques instants, en tentant désespérément de me retenir à quelque chose, à quelqu'un, pour ne pas chuter dans l'abîme.

Mais il n'y avait rien ni personne pour me retenir.

Je ne suis pas triste, ici. La nature est si luxuriante, ce peuple accueillant. Je vis et j'écris au rythme de la lune, du soleil, des nuages. Je ne me sens pas seule. Les chats et les livres sont les meilleurs compagnons. L'amour me manque peu. Ce qui me manque, parfois, le soir, au moment d'un apéritif que je déguste devant la vue, c'est la présence d'un ami, d'un amant. D'un homme.

J'ai eu le temps, depuis les limbes de mon exil, de réfléchir à la façon dont Victoria avait pu fomenter ce plan diabolique. Tout s'éclairait, inexorablement. Jamais je ne m'étais posé de questions. Jamais je ne m'étais doutée de rien. Comme elle avait dû rire de ma naïveté.

Inlassablement, je me suis demandé pourquoi, oui, pourquoi elle s'était donné tant de mal pour mener à terme son dessein. Pourquoi nourrissait-elle une telle haine envers moi ? Elle avait la beauté, la jeunesse. Elle avait tout. Alors pourquoi ?

Après mon départ précipité en 2010, sur les conseils de mon avocat, je n'avais pas cherché à rester en contact avec Victoria. Dès la fin du procès retentissant que j'avais perdu, et à la suite des remous, du scandale, des articles dans la presse avec ces horribles gros titres que je n'oublierai jamais, je n'avais ressenti qu'une urgence : fuir.

Fuir mon pays, fuir cette femme, fuir tout ce qui me collait à la peau depuis cette affaire. Fuir ceux qui pensaient que j'avais plagié. Pillé. Copié.

Alors que je n'avais fait que décrire Diego. Écrire Diego. Mon Diego.

Je ne répondais pas aux lettres envoyées poste restante par mon éditeur, mes amis proches. Maurice me suppliait de lui donner de mes nouvelles. Je lisais les lettres, puis les mettais de côté. Après un certain temps, les lettres ont cessé. Depuis, ma petite vie continue dans ce refuge plaisant et lointain. Les jours passent et se ressemblent.

Hier matin, cependant, un choc, au marché, de l'autre côté de la place. Un homme qui pourrait ressembler à Maurice. Un grand type brun, un peu voûté, coiffé d'un panama. Mon cœur a fait un bond. J'ai tenté de le repérer, mais il avait disparu. Évidemment, cela ne pouvait pas être mon éditeur. Impossible. Personne n'a mon adresse ici, à part mes enfants, et mon fiscaliste, qui ne l'ont jamais divulguée. J'ai dû faire erreur.

À plusieurs reprises, au cours de ma promenade de l'après-midi, j'ai aperçu l'homme au panama, et à chaque fois que mes yeux se posaient sur lui, je ressentais la même surprise. Comme si tout mon corps me disait : Regarde Gabrielle, c'est Maurice ! Je chassais ces pensées en souriant.

Le même soir, alors que je profitais des derniers rayons de soleil sur mon balcon, la sonnette de la vieille maison a retenti. Elle ne sonne jamais parce que personne ne vient jamais me voir. C'était un carillon rouillé et étrange. J'ai sursauté. Les chats aussi.

Il était là, sur le seuil, son panama entre ses mains. Mon éditeur. Son sourire, ses yeux noisette, son parfum citronné.

Sans un mot, je me suis réfugiée dans ses bras. Les larmes sont venues perler mes paupières. Il m'avait tant manqué.

71

« C'est ton fils qui m'a donné ton adresse, a-t-il murmuré. Je ne l'ai pas lâché. Il a fini par craquer. »

Puis il a reculé d'un pas pour me regarder.

« Mon Dieu, comme tu es belle, Gabrielle. »

J'ai ri, malgré mon émotion.

« Tu es fou ! Je suis méconnaissable !

— Tu es magnifique. Lumineuse. »

Plus tard, installé sur la terrasse, un verre de vin blanc à la main, face aux montagnes vertes, au ciel toujours bleu, à la mer qui scintillait au loin, il ne parlait plus, subjugué par ce qu'il voyait. Puis il a dit, avec un petit rire :

« Il est beau, ton exil. Un peu loin, peut-être. »

Les chats lui tournaient autour, surpris par ce visiteur du soir, qu'ils flairaient avec précaution.

« Je suis venu te parler de Victoria Sanders, dit enfin Maurice.

— C'est du passé tout ça, Maurice. Ne me dis pas que tu as fait douze heures de vol pour me parler d'elle ?

— Ces trois années sans te voir m'ont permis de réfléchir. Quand le scandale a éclaté, je n'en croyais pas mes yeux. Toi, plagier quelqu'un ! C'était ridicule. Impensable. Mais lorsque j'ai lu cette nouvelle, je n'en suis pas revenu. C'était si proche de ton livre. Et nous avons perdu le procès. Victoria Sanders a obtenu une compensation financière, tu t'en souviens, et j'ai pu me débrouiller avec les avocats pour qu'aucune mention ne figure à l'intérieur de *Métro Lourmel*. Je sais à présent que j'aurais dû agir différemment, te forcer à parler, te soutenir. Je me suis laissé entraîner dans cette spirale médiatique qui a tout emporté. Car oui, Gabrielle, tout le monde voulait lire ce roman que tu avais soi-disant plagié, tout le monde s'est jeté sur ce livre où tu racontais ton Diego. Il se vend encore aujourd'hui, ce roman. Les ventes de l'édition poche et de l'édition grand format sont reparties à la hausse pour l'été. Tu n'as jamais quitté la liste des best-sellers. »

J'ai respiré calmement. Je le regardais. Je me suis souvenue de nos déjeuners à La Closerie, de ses cravates élégantes, de ses costumes choisis avec soin, rien que pour moi. Puis j'ai demandé :

« Qu'est-ce que tu essaies de me dire, Maurice ?

— Je suis venu t'apporter ceci. »

73

Une enveloppe fermée. Avec cette inscription manuscrite : *Gabrielle Célas, aux bons soins de son éditeur. À remettre en mains propres.*

« Elle doit être importante, si tu as fait la moitié d'un tour du monde pour me la donner…

— En effet. C'est la mère de Diego qui t'écrit. Elle me l'a confiée il y a trois jours. »

Mes mains tremblaient légèrement tandis que je décachetais l'enveloppe.

Chère Gabrielle,
Nous ne nous sommes pas vues depuis l'enterrement de Diego. J'ai continué à lire vos romans, à vous suivre dans la presse. J'ai bien sûr lu Métro Lourmel, *qui m'a bouleversée, et dans lequel j'ai reconnu mon fils, et vous aussi, et votre histoire d'amour. Mais si je vous écris aujourd'hui, c'est pour vous parler de cette femme qui vous a accusée de plagiat, et qui a gagné ce procès contre vous. Ce procès qui vous a contrainte à fuir la France. Vous n'avez rien plagié. Et il va falloir que cela se sache. Il y a deux semaines, j'ai rangé des affaires dans notre grenier. Il y avait là de la paperasse, des archives, des affaires qui appartenaient à Diego. Et une courte lettre de la part d'une certaine Victoria Sanders. Je vous la joins*

ici. Je pense qu'elle pourrait vous être utile. J'en ai fait une copie, vous avez l'original.

Je vous souhaite bonne chance. J'attends, comme vos milliers de lecteurs, votre retour avec un nouveau roman.

Amitiés,
Mme G. B.

La lettre de Victoria était écrite sur une feuille blanche. J'ai immédiatement reconnu l'écriture fine et penchée.

23 avril 2004

Diego,

Tu me quittes. Tu décides de partir. Soit. Emporte avec toi ta fierté et tes excuses ridicules. De toute façon, quoi que tu dises, quoi que tu fasses, tu n'aimeras jamais que Gabrielle. Pendant les quelques mois de notre aventure, tu n'as eu que son nom à la bouche. Tu ne parlais que de vos amours dans ce quartier de la rue de Lourmel, de ce bébé qu'elle n'a pas voulu te donner. Je maudis cette femme qui n'a pas su te rendre heureux, et qui t'a empêché de m'aimer, moi. Un jour, je le lui ferai payer.

Adieu,
Victoria

Café Lowendal *et autres nouvelles*

J'ai posé la lettre de Victoria sur la table, près du vin blanc et des verres. Maurice ne parlait pas. Moi non plus. Mais c'était un silence plein et riche. Riche de promesses, de lumière. Riche d'espoirs. Un silence dans lequel se nichaient les romans à venir et un chemin à retrouver.

AMSTERDAMNATION

Amsterdamnation a fait l'objet d'une première parution en 2008 dans *VSD*.

« Putain, cinquante ans. » Il se dit ça à voix très basse, en s'asseyant maladroitement à côté de Cynthia, près du hublot, place qu'il déteste, car il n'arrive jamais à caser ses longues jambes. Il regarde l'averse tomber sur le tarmac de Heathrow. Lugubre. La pluie est annoncée sur Amsterdam pour les deux prochains jours. Tout lui semble froid, gris, et sinistre. Comme lui, ce matin.

La main tendre de Cynthia se pose sur sa cuisse. Il n'a pas besoin de tourner la tête pour savoir qu'elle affiche un sourire béat. Normal. Pour elle, la cinquantaine, c'est encore assez loin. Elle ne sait pas ce que c'est. Elle ne se doute pas une seconde de ce chiffre qui vous tombe dessus un jour sans crier gare, qui vous écrase de sa masse impitoyable. Cinquante ans. Putain. Un demi-siècle. Mais comment est-ce possible ? Que s'est-il passé ? Il y a quelques instants, cinq minutes à peine, il était encore jeune, il avait des cheveux, des jolies dents, un ventre plat. Il se reprend en bouclant sa ceinture, Bon, arrête ton cirque, Harry, tu n'es pas encore totalement décati, tu as plus de cheveux qu'Andrew, qui est pourtant plus jeune que toi, et moins de ventre que Hugh, ce qui est une bénédiction.

Cette escapade hollandaise, c'était son idée à elle, pour son anniversaire à lui. Bien sûr, il était ravi. Enchanté. Il n'avait pas été à Amsterdam depuis longtemps, avec une étudiante française dont il s'était entiché, dans une autre vie, bien avant Cynthia, avant la carrière à la City, avant le prêt pour acheter la maison sur Ladbroke Grove, avant la naissance de Polly. Oui, bien sûr, il est ravi, et il a même fait semblant d'être totalement étonné, époustouflé même, alors que cette cruche n'avait pas pensé à effacer l'historique sur l'ordinateur (ce que lui faisait très consciencieusement chaque soir afin qu'elle ne puisse pas se douter une seconde de l'assiduité de ses visites sur des sites porno). Il savait donc déjà, depuis un moment, qu'elle avait réservé deux nuits dans un hôtel de luxe, d'après l'impressionnant site Web qu'il avait débusqué.

Leur vol est un charter brésilien qui les emmène de Heathrow à Amsterdam, pour ensuite faire cap sur São Paulo. L'avion est pratiquement vide. Les hôtesses souriantes et basanées se trémoussent sur un rythme de samba. Il les trouve ridicules, même pas bandantes. Mais ce matin, il a l'impression qu'il ne bandera plus jamais. Il a cinquante ans.

En arrivant à Amsterdam, toujours sous une pluie battante, il se souvient qu'avec la petite étudiante française (Muriel, oui, ça lui revenait, Muriel, et son charmant cul rond), ils avaient effectué un voyage en train de nuit dans un wagon qui puait les pieds et le saucisson, mais ce fut hautement érotique. Au nez et à la barbe des passagers assoupis, ils avaient baisé et fumé des joints toute la nuit. D'ailleurs, d'Amsterdam, il ne garde aucun souvenir de son premier séjour, à part les nuits blanches et les réveils difficiles.

Pourquoi Cynthia fait-elle tellement anglaise, se lamente-t-il, tandis qu'elle marche de son pas pimpant et énergique à côté de lui, une vraie Mary Poppins, grands pieds plats, visage chevalin, sourire dentu. La petite voix narquoise dans sa tête ne se fait pas attendre, Et toi alors mon vieux, plus british tu meurs, avec ta tronche violine, tes cheveux auburn, tes grandes oreilles, tes genoux cagneux. Le couple britannique par excellence, c'est estampillé, marqué au fer rouge sur votre front.

Il avait oublié que les Néerlandais parlent parfaitement anglais. Merveilleuse surprise. Pas comme ces détestables Français qui font toujours semblant de ne rien comprendre à la langue de Shakespeare. Amsterdam se cache derrière un épais rideau de pluie. Il n'en voit rien à travers le ballet hypnotisant des essuie-glaces. Il n'a qu'une envie, une bonne bière. Suivie d'une bonne sieste.

Cynthia papote avec le chauffeur de taxi, un type rondouillard et aimable qui s'empresse de dire que oui, la pluie n'a pas cessé et va encore continuer pendant tout le week-end, fin décembre, on a parfois de la neige, mais rarement autant de pluie. Pas de chance ! Mais ce n'est pas grave, sourit Cynthia avec une résilience digne de Churchill, ça ne nous empêchera pas de tout visiter, de faire tout ce que nous avons prévu de faire, n'est-ce pas, *darling*, ce n'est pas un peu de pluie qui va nous faire peur ?

Le Blackberry de Harry émet un petit bip. Un texto. Leur fille Polly est bien arrivée à

Davos, avec Marcus, son *boyfriend*, et toute une bande pour un séjour de ski. Elle les embrasse. Dire que Polly va sur ses vingt-cinq ans. Qu'elle a entamé une impressionnante carrière de commissaire-priseur. Qu'il y a cinq minutes, elle avait des couettes, un appareil dentaire et qu'il la portait sur son dos. Maintenant, c'est une grande gigue blonde avec un rire de gorge. Ils avaient passé Noël ensemble, avant-hier, à Ladbroke Grove.

Mais quelle idée d'avoir cinquante ans et d'être né entre Noël et le nouvel an. C'était navrant. Il en avait toujours souffert, de cette date d'anniversaire débile. Les gens pingres lui offraient le même cadeau pour *Christmas* et son *birthday*. Il haït cette période de fêtes. Ces guirlandes et ces sapins qu'on subit dès novembre. Ces vitrines rutilantes regorgeant de paquets enrubannés. Ces gens qui se roulent des pelles toutes muqueuses dehors, sous du gui. Ces Pères Noël hilares.

Le taxi s'arrête enfin au bord d'un canal, devant un élégant immeuble en retrait, sombre et austère. La pluie tombe toujours. Tête baissée, il paie le taxi et se précipite sous le parapluie que lui tend un groom. À l'intérieur, les chaussures ruisselantes, il découvre un vaste décor japonisant laqué noir et blanc. Canapés moelleux. Flammes qui crépitent dans des cheminées noires. Des bougies brûlent çà et là, exhalant une odeur raffinée et orientale qui lui plaît. Il a envie de s'affaler, tranquille, dans cet antre silencieux et ouaté, mais Cynthia l'attend. Elle piaffe dans une chambre entièrement rouge avec un immense lit à baldaquin peuplé de coussins de satin. Les valises sont montées par de silencieux et avenants garçons d'étage, vêtus de noir. Harry enlève ses chaussures humides et se vautre sur le lit avec délices, mais déjà elle le houspille, mais enfin, il est fou ou quoi, ils n'ont pas le temps, et leur programme de visite, alors, ils doivent d'abord aller au musée Anne Frank sinon la queue sera trop grande, allez, qu'il se dépêche un peu, au lieu de traîner ! Quand elle parle comme ça, se dit-il en remettant ses chaussures à contrecœur, elle ressemble tant à sa mère que c'est déprimant. Déprimant aussi de sortir à nouveau sous la pluie. C'est tout près d'ici, lui dit-elle, allez, fais un effort.

Une fois dehors, il manque de se faire renverser à chaque pas par les innombrables cyclistes qui ne cessent de sonner leur clochette et de le rabrouer. Il apprend vite à respecter les sacro-saintes pistes cyclables. « Jamais vu autant de vélos, marmonne-t-il à Cynthia, c'est pire que chez nous ! » Ici on fume à vélo, on téléphone à vélo, on est à deux sur un vélo et on file à une vitesse folle. Il reconnaît de suite le Hollandais impérial et véloce, juché sur sa grande bécane qui grince, et qui n'a rien à voir avec le touriste gourd muni de son petit vélo de location qui avance à deux à l'heure.

La queue devant le musée Anne Frank fait déjà plusieurs dizaines de mètres. Cynthia attend patiemment. Harry sort son Blackberry et consulte ses mails. Rien d'important. La City est en vacances. Des vœux de bonne année de collègues dont il se tape. Les gens autour parlent anglais, français, allemand, suédois, italien. Il remarque des jeunes, des vieux, des bébés qui braillent, des familles entières. Il se souvient soudain que Polly vénérait Anne Frank. Elle avait lu son journal à treize ans. Elle aurait tant aimé être ici. Il lui envoie un texto : « Pol, je pense à toi, je vais entrer dans "l'Annexe secrète", dans cet endroit dont tu m'as tant parlé. » Polly doit être en train de sillonner les pistes à l'heure qu'il est. Sous le soleil, probablement. Veinarde.

La queue avance lentement et les voici enfin dans l'immeuble, dans ce que fut le bureau d'Otto Frank, le père d'Anne, là où il travaillait avant de se cacher en juin 1942. Et voilà enfin la fameuse « porte-bibliothèque » pivotante qui dissimulait l'entrée de l'immeuble du fond. L'escalier est très raide, il le monte avec précaution, derrière les hanches osseuses de Cynthia. C'est ici qu'ils sont venus les chercher, ce matin-là. Malgré lui, il est ému.

Sa fille lui manque. Il aurait aimé faire cette visite avec elle. Les gens sont silencieux, respectueux. Même les bébés se taisent. Il regarde le salon-chambre des Frank, petite pièce borgne aux fenêtres occultées par du tissu noir, comme elles l'étaient dans les années 1940. Puis la minuscule chambre d'Anne, qu'elle partageait avec un quinquagénaire qu'elle n'aimait pas, le docteur Dussel. Sur le mur, ses photographies, des stars de Hollywood, des cartes postales. Et les traits de crayon de sa mère, qui montrait sa taille croissante, et celle de sa sœur Margot, pendant leur long séjour. Encore des marches, et la chambre de l'autre famille cachée, les Van

Daan, puis la petite chambre de Peter, le fils dont Anne tombera amoureuse.

Dans la partie moderne du musée, ils découvrent le journal d'Anne Frank, le vrai, son cahier, dans une cage de verre. Harry prend une photo discrète avec son téléphone et l'envoie à Polly. Sur les murs, une série d'images terribles des camps de la mort. Devant les photos, une jeune fille pleure dans les bras de son père. Les gens ne parlent toujours pas. Silence. Et respect. La main de Cynthia se glisse dans la sienne. Ça lui fait du bien.

Pendant le reste de la journée, il suit sa femme comme un mouton son berger. Il se sent las, vieux. Fini, lessivé, usé. La pluie cesse, un instant, avant de reprendre. Tout est mouillé, humide, ses cheveux frisent, ses chaussures couinent. Ils dégustent des « *bitter balls* » dans un « café brun ». Arrivé au Quartier rouge, Harry se réveille devant les femmes à moitié nues parquées derrière leurs vitres. Il se souvient d'être venu ici avec la petite Française. Ça l'avait bien excité, cet étalage de viande. Maintenant, ça lui fait plutôt pitié. Cynthia, à son bras, observe tout avec un mélange de fascination et de dégoût. Il y en a tant, de putes, tout sourires, joyeuses, ou au contraire, boudeuses, lascives, endormies.

Des jeunes, des moins jeunes, des Blacks, des blondes, des Asiatiques. Il y en a même une qui lui fait un clin d'œil, pendue à son téléphone portable en attendant le client. Il est effondré. Un clin d'œil ! Comme s'il était un vieux papy. Il a envie de sangloter. Les effluves persistants de marijuana finissent par lui monter à la tête. Il avait oublié, ça aussi, les gens qui fument leur joint en pleine rue.

L'infatigable Cynthia l'entraîne vers un havre de paix au nom qu'il ne retient pas, une sorte de cloître sublime, terriblement ancien, dissimulé derrière une place bruyante. Direction le Rijksmuseum à pied. Là aussi, ils font la queue, sous la bruine et dans la boue, car le musée est en travaux. Harry tombe en arrêt devant l'immense *Ronde de nuit*. Il la regarde de trop près et une imposante gardienne vêtue d'un uniforme sombre vient lui taper sur l'épaule. Cynthia et lui détaillent *La Petite Rue* et *La Jeune Laitière* de Vermeer. *La Petite Princesse* de Paulus Moreelse. Mais ce sont les portraits des notables, les riches couples mariés signés Frans Hals qui le fascinent le plus, extraordinaires dans le faste de leurs vêtements noirs, leurs cols « fraise » blancs et leurs bottines pointues à nœuds.

Quand ils rentrent à l'hôtel, Harry est éreinté. Il est soulagé quand Cynthia lui propose de dîner sur place, avec un room-service. Pendant qu'elle prend son bain, il regarde la télévision, échoué sur le lit entre tous les coussins. Il ne voit rien des images qui défilent à l'écran. Où est passée sa jeunesse ? Pourquoi vieillit-on si vite et si mal ? Les silencieux valets apportent des plats légers et succulents. Du champagne. Mais oui, c'est son anniversaire. Comment oublier son anniversaire. Ils dînent en tête à tête. Elle est belle ce soir, il se dit. Elle vieillit bien, elle. Ce doit être une affaire de gènes. Il lui prend la main, l'embrasse.

Après le dîner, ils partent se balader le long des canaux. Il ne pleut plus. Il fait un froid plus sec, plus nordique. Ils marchent enlacés. Comme des amoureux qui viennent de se connaître. Des appartements magnifiques s'offrent à eux. Ils peuvent tout admirer de l'intérieur de ces hautes bâtisses étroites à l'architecture particulière, dominées par leurs drôles de frontons biscornus et leur petite poulie qui émerge tel un bras. Il a l'impression que les habitants d'Amsterdam n'aiment ni les rideaux, ni les volets, et que cela ne les gêne pas qu'on les épie à travers leurs fenêtres. Il fait remarquer à Cynthia combien ces intérieurs sont savamment éclairés aux bougies ou par des lumières délicatement tamisées. Cynthia l'embrasse à pleine bouche. Ils rient tous les deux dans le froid.

De retour, ils se couchent rapidement. Il fait bon dans la grande chambre silencieuse. Harry se dit que ce serait bien de faire l'amour. Il n'en a pas une envie folle, mais il se force. Il pense au cul rond et bombé de la petite Française et comment elle le lui présentait. Il bande un peu plus. Cynthia a l'air contente. Elle ahane gentiment. Mon Dieu, que c'est triste, l'amour à cinquante ans. « Je t'aime, murmure-t-il à Cynthia. Je t'aime. » Et il est rempli d'une immense tendresse pour elle.

Le téléphone sonne avec une stridence atroce qui lui coupe tous ses effets. Pourtant il a fermé son Blackberry. Il met un moment à comprendre que c'est le téléphone fixe, posé sur la table de nuit. Quelle heure est-il ? Il décroche. Une voix qu'il ne reconnaît pas dit son nom. C'est Marcus, le petit ami de Polly.

Un poids monstrueux descend sur sa poitrine. Derrière son dos, Cynthia s'agite. Il veut la protéger, il voudrait que son dos soit comme une forteresse, que rien ne puisse l'atteindre, elle. Il écoute la voix blanche et méconnaissable de Marcus. Une piste noire. Une chute de ski.

Hôpital de Davos. Coma. Il faut venir. Venir dès que possible. Il dit oui, et il raccroche.

Le visage de Cynthia s'est vidé de toute sa couleur. Elle sait. Elle n'a pas besoin qu'on lui explique. Elle sait. Elle est la maman. Les mamans savent toujours. Elles le sentent, dans le creux de leur ventre, là où elles ont porté l'enfant.

Il la prend dans ses bras, doucement. Elle s'accroche à lui de toutes ses forces. Ils ne parlent pas. La pluie recommence, frappe les carreaux de la fenêtre avec violence.

Il ferme les yeux. Il sait déjà qu'il se souviendra toute sa vie de ses cinquante ans, fêtés en amoureux, sous la pluie, à Amsterdam.

LA TENTATION DE BEL-OMBRE

La Tentation de Bel-Ombre a fait l'objet d'une première parution en 2012 dans le cadre des Escales littéraires de Sofitel, en partenariat avec *Le Figaro*.

Chère Amélie,

Cela fait un moment, déjà, que je ressens le besoin de vous écrire. En vous adressant cette lettre, peut-être aurai-je l'impression de mieux cerner le mystère qui vous entoure. Pendant longtemps, vous êtes restée dans l'ombre. Pourtant, votre nom était souvent cité par ma grand-mère paternelle, Natacha, celle qui, enfant, avait fui la Russie, celle à qui je dois ce prénom exotique. Vous la fasciniez, et à présent, en me penchant sur les quelques bribes de votre vie, je comprends pourquoi. J'aurais aimé connaître les traits de votre visage, savoir si vos yeux étaient clairs ou sombres, noter la teinte de vos cheveux. Je n'ai jamais vu de portrait de vous. J'aurais aimé écouter le timbre de votre voix, admirer votre démarche. Étiez-vous belle, Amélie ? Je ne le saurai pas. Qu'importe.

J'ai eu envie de mieux vous connaître il y a deux ans. En 2009, précisément. C'est à cet instant-là que vous aviez fait irruption, par un chemin inattendu. Tout a commencé avec un renouvellement de passeport. Le mien était périmé depuis quelques semaines. À la mairie de mon domicile, on m'apprend qu'il me faut désormais un certificat de nationalité française pour faire refaire ce passeport. Je réponds, fort étonnée, que je suis française, née à Neuilly-sur-Seine, de parents français. On me fait remarquer que mon père est né à l'île Maurice et ma mère, à Rome. Ce qui ne m'avait jamais empêchée jusqu'ici d'obtenir passeports et cartes d'identité, mais lorsque l'acte de naissance révèle que les deux parents sont nés à l'étranger, une « preuve » de la nationalité française est maintenant exigée. Rendez-vous au nouveau Pôle de la nationalité française munie des actes de naissance et de mariage de mon père, Joël, de mon grand-père, Gaëtan, de mon arrière-grand-père, Eugène. Ils sont nés à l'île Maurice. L'arrière-arrière-grand-père, Louis-Eugène, aussi. Son père, Gabriel, également. À ma tante Zina, la sœur de mon père, née sur l'île et confrontée à la même situation ubuesque, on avait posé cette question : « Pourquoi les Rosnay sont-ils partis vivre à Maurice ? » Comment le savoir ? À moi, on me demande qui était le premier Rosnay né en métropole, avant le départ dans l'océan Indien. Sur Internet, je vérifie son nom, sa date de naissance, il s'agit d'un certain Alexis Fromet de Rosnay né en 1742, dans le val de Loire.

J'ai pu obtenir mon certificat de nationalité, non sans mal, non sans une certaine patience. La personne qui vous écrit ces lignes, Amélie, est « bien française » et cette étrange mésaventure m'a permis de me pencher sur les origines de la famille de mon père. La petite graine était plantée. Pourquoi les Rosnay avaient-ils choisi de s'installer dans cette île perdue de l'océan Indien, à des milliers de kilomètres de la France ? Je devine que vous souriez à présent, Amélie. Mais je ne savais pas encore la vérité. D'ailleurs, je n'ai glané que quelques fragments de cette vérité. Le secret, c'est vous qui le détenez.

C'est à Bel-Ombre, Amélie, devant la ligne écumante des vagues qui se brisent sur la barrière de corail, les filaos secoués par le vent, le vert hachuré des cannes à sucre qui se mêle au bleu si particulier de l'océan Indien, que j'ai le plus pensé à vous. Pourtant, il me semble que vous avez dû peu vous aventurer dans le sud de l'île, étonnamment sauvage, même deux siècles après vous. À Bel-Ombre, la côte est restée vierge, ou presque, épargnée par l'industrie du tourisme qui, au nord, n'a fait qu'une bouchée de Grand-Baie, bétonnée d'une main lourde. Les plages de Bel-Ombre, préservées, où courent encore ces minuscules crabes nacrés, doivent ressembler à celles que vous aviez connues. Alliez-vous à la plage, Amélie ? Cela ne devait pas faire partie des occupations des dames de votre époque.

Je ne retournerai pas à Grand-Sable. Je préfère garder intacte l'image d'un lagon tranquille à la plage blonde. Je ne verrai pas les nombreux hôtels, piscines, restaurants et terrasses qui l'ont saccagé en poussant là comme des champignons. Je préfère me souvenir des étés de ma jeunesse, dans les années 1970, avant que Maurice ne devienne une destination à la mode. À Grand-Sable, ma grand-mère Natacha, sa chevelure roulée dans un bonnet en plastique fleuri, se lançait du plongeoir sous les yeux affolés de mon grand-père Gaëtan qui n'aimait pas l'eau, et qui craignait toujours qu'elle se fracasse la tête contre les rochers. Je me souviens des virées en Hobie-Cat avec mes camarades Anne, Alexandra et Vanessa lorsque nous traversions les eaux translucides de la baie pour rejoindre leur « campement » d'en face. Sur le beau voilier blanc de Claude L., *Anouchka*, j'avais neuf ans et la conviction grisante, délicieuse, que la beauté alentour nous appartenait, que la pointe relevée du Coin de Mire avait été retroussée par un doigt céleste rien que pour nos yeux.

Je tente de regrouper, de recomposer les zones d'ombre de votre vie, Amélie. Je sais peu de choses, juste ce qui figure sur les papiers administratifs, et puis tout ce que Natacha avait précieusement gardé et écrit sur vous, quelques lettres, quelques dates. Vous êtes née place des Vosges, à Paris, en 1777. Vous avez connu un premier mariage avec Jules de Saint-Mars. À dix-huit ans, à la naissance d'Eugène, vous devenez mère, et trois autres enfants suivront, Auguste, Athénaïs, Louise-Mathilde. Vous ne vous épanouissez pas dans ce mariage, vos lettres à votre institutrice le prouvent. Votre mari vous trompe, vous humilie. Vous avez de surcroît affaire à une belle-sœur dérangée, qui finira internée. C'est à ce moment de votre vie, à trente ans, lorsque vous vous retrouvez veuve, lorsque vos quatre enfants sont élevés par une nourrice, que vous vous rapprochez intimement d'un ami de vos parents, un certain Alexis Fromet de Rosnay. Un veuf qui a trente-cinq ans de plus que vous.

J'essaie d'imaginer cette rencontre. Votre père, M. Dubois de Courval, avait déjà, en deuxièmes noces, épousé une femme de vingt-cinq ans sa cadette, votre mère. L'âge ne devait pas vous faire peur. Peut-être avez-vous retrouvé auprès d'Alexis la douceur, le respect qui vous manquaient tant de la part de Jules ? Vous fondez un nouveau foyer avec Alexis, en Bourgogne. Quatre enfants verront le jour, Gabriel, Félix, la petite Louise-Félicie qui ne vivra que deux ans, et Augusta, que vous aurez sur le tard, à quarante ans.

C'est en 1824, après presque vingt ans de vie commune, que tout bascule. Les ennuis d'argent deviennent insurmontables. Votre mari est octogénaire. Comment assurer les études de vos fils, Gabriel et Félix ? On vous propose un poste de gouvernante à l'île de Bourbon (la Réunion). Vous y enseigneriez le dessin, la musique, le chant. Trois mois de bateau pour parvenir à bon port. Qui vous le suggère ? Comment ? Pourquoi prenez-vous la décision de partir si loin des vôtres ? J'aimerais tant le savoir. Ce que je sais, c'est que vous acceptez. Vous quittez la France en février 1824, avec votre fille, sept ans. Je pense à ce départ, à ce qu'il a suscité. Vos enfants Saint-Mars sont grands, mais vous deviez vous douter que vous ne les reverriez jamais, tout comme votre mari, si âgé. Était-ce un choix, Amélie ? Ou une fuite ? Je vous vois en train d'embarquer, votre fillette à la main. Qui est sur le quai ? Qui est venu vous dire au revoir ? Qui vous a donné le dernier baiser ? Le froid devait être vif, ce jour-là. Je vous imagine emmitouflée dans un manteau sombre, le visage dissimulé sous un bonnet. Pleuriez-vous ? Je me demande comment s'est déroulé ce voyage interminable sur les mers, avec votre petite fille. Avez-vous vécu ce départ comme un déchirement ? Ou, au contraire, comme une espérance, comme une nouvelle vie ? Dans une lettre à Alexis, dix-huit mois plus tard, vous expliquez que des « amis » vous ont trouvé un nouveau poste de gouvernante à l'île de France. Vous gagnez bien votre vie, vous envoyez de l'argent à votre époux. Votre famille est sauvée, grâce à vous.

Vous arrivez pour la première fois en terre mauricienne en 1827, avec Augusta, dix ans. Vous en avez cinquante. Je me demande si, comme Natacha, vous aviez accosté à Port-Louis. Ma grand-mère m'avait souvent parlé de ce voyage dans l'île natale de son mari Gaëtan, en mai 1934. Jeunes mariés, ils avaient dix-neuf et vingt-deux ans. Impossible pour elle d'oublier la foule bigarrée, le trajet en automobile à travers une nature foisonnante et surprenante, les montagnes au loin qui se découpent contre un ciel bleu lourd de nuages, et l'arrivée à la paisible Villebague. Vous êtes-vous rendue dans cette belle demeure blanche aux toits gris ? Elle date de 1740, donc j'imagine que vous auriez pu. Êtes-vous montée le long de cet escalier en ébène qui grince ? J'aime croire que vous avez savouré un thé à la vanille, comme mes grands-parents et moi, au premier étage, à l'ombre de la varangue. Aviez-vous remarqué qu'au-delà des cannes à sucre, on aperçoit une mince bande argentée ? La mer, à Grand-Baie. Le soir venu, fillette, je m'étonnais toujours de la nuit qui tombait si vite, d'un seul coup.

Peut-être aviez-vous pensé la même chose, lors de vos premières années à Maurice. L'obscurité apportait son cortège d'insectes, les moustiques, les cancrelats et la redoutée mouche jaune. Vous aussi, vous avez dû dormir sous une moustiquaire.

J'ai commis l'erreur de retourner à la Villebague. On devrait se garder de revenir sur les traces de notre enfance. La maison est devenue une coquille vide, sans odeur. Elle m'a semblé plus exiguë, presque ratatinée. Le magnifique jardin qui faisait la fierté de ma grand-mère n'est qu'un parterre d'herbes touffues. Il paraît qu'on peut louer la Villebague pour des mariages, des séminaires. J'ai cherché partout des traces de Gaëtan et Natacha. En vain. Les meubles sont encore là, les miroirs tachetés, les fauteuils en rotin, la grande table de la salle à manger, mais l'âme de la maison s'est envolée.

Après la mort de votre mari Alexis en 1829, vous avez décidé de ne pas revenir en France. Quelle était votre vie sur cette île, Amélie ? Avez-vous retrouvé l'amour ? Si oui, était-ce un amour secret ? Une vie de tristesse et de regrets, ou de bonheurs ? Je préfère imaginer le bonheur.

Vos fils, Gabriel et Félix de Rosnay, accompagnés de leurs fiancées, Marie-Irma et Anne-Lise Chenaux, deux sœurs, vous rejoignent sur l'île, pour se marier, en 1837 et 1838. Augusta, votre petite dernière, se marie elle aussi. Pensiez-vous souvent à vos quatre premiers enfants, les Saint-Mars? Éprouviez-vous un sentiment d'échec à leur égard? Vous aviez revu votre fille Louise-Mathilde de Saint-Mars, elle-même jeune maman, juste avant votre départ pour l'île de Bourbon. Cela avait dû vous troubler. Que disait-on de vous à l'époque? Que vous aviez abandonné vos enfants? Était-ce pour cela que vous avez voulu vous entourer de vos enfants Rosnay à Maurice? Pour au moins réussir avec eux en tant que mère? Pour ne pas reproduire la même erreur? J'aurais aimé vous poser ces questions.

Gabriel et Marie-Irma auront plusieurs enfants. Dont Louis-Eugène, né en 1842, que vous avez dû connaître. Il se mariera plus tard avec Marie-Amicie. Vous n'êtes plus là, Amélie, vous avez quitté ce monde en 1858. Le fils qui va naître de cette union en 1875 s'appellera Eugène de Rosnay. En visitant le domaine de Bel-Ombre, devenu un restaurant élégant, j'ai croisé le chemin d'Eugène. Vous n'avez pas pu découvrir cette demeure coloniale, construite après vous. Dans le salon boisé du rez-de-chaussée, dont l'atmosphère raffinée vous aurait sans doute plu, plusieurs portraits et tableaux. Des messieurs sérieux, finement moustachus, gominés. James Wilson, Eugène de Rosnay, Édouard Rouillard et Émile Sauzier. J'apprends qu'ils ont créé la Compagnie sucrière de Bel-Ombre en 1910. Lequel est mon arrière-grand-père? J'ai du mal à l'identifier. Je ne l'ai jamais connu, il est décédé en 1928 à cinquante-trois ans. Je me souviens en revanche de son épouse, la sévère et osseuse Simone, et des caramels que ma sœur et moi dégustions dans son appartement lugubre de la rue Spontini. Simone, bien que née sur l'île, n'avait rien de mauricien et je n'ai pas le souvenir de cet accent chantant et joyeux qui fait parfois sourire.

Vous reposez au cimetière de Pamplemousses, près de ce jardin extraordinaire qui attire des visiteurs du monde entier, de ces nénuphars géants qui changent de couleur avec la lumière du soleil. Mais quand je pense à vous, Amélie, c'est à Bel-Ombre que je vous vois, dans cette nature sauvage et magnifique qui n'a pas subi les ravages du temps, ni du progrès, et que vous avez dû découvrir lors de votre arrivée ici. Le Maurice de Bel-Ombre est le Maurice de mon enfance, disparu mais encore si présent à mon esprit, nimbé du souvenir de grands-parents solaires, irremplaçables, un artiste peintre qui cachait ses doutes derrière une élégance prime-sautière, et une exilée russe qui n'avait jamais perdu son accent, qui m'a transmis sa féroce joie de vivre.

Qu'êtes-vous venue chercher ici, Amélie ? Et l'avez-vous trouvé ? Je rêve de percer cette part d'ombre qui est la vôtre, qui vous fait vibrer d'un mystère palpable, deux siècles plus tard. Dans la beauté de Bel-Ombre, je vous dédie ces quelques pages et vous dis ma fierté de descendre d'une aïeule telle que vous, une femme qui a su forcer son destin. Qui sait ? Peut-être un jour écrirai-je le roman de votre vie…

Votre petite-fille, Tatiana

UN BIEN FOU

Une mer bleu marine fouettée par des crêtes blanches. Une maison carrée posée sur une falaise. Une lumière dorée. Une plage blonde. Devant l'écran de l'ordinateur, Max chuchote : « C'est divin. » (Il pense au soleil sur sa peau, à l'eau salée, à l'ouzo.) Je dis : « Oui, c'est sublime. » (Moi, je pense à la femme de ménage dont le salaire est compris dans la location.) Les enfants, Salomé (10 ans) et Gaspard (8 ans), trouvent ça sublime aussi. L'hiver a été rude. Froid et neigeux. Constellé d'ennuis. Les problèmes au travail pour Max. Des petits soucis de santé pour moi. Le décès du grand-père de Max. Les ennuis scolaires de Salomé. Ce n'était pas donné, cette maison sur une île grecque. Mais on le méritait, disait Max. On en avait besoin. C'était nécessaire de recharger les batteries, d'aller chercher le soleil. Ça nous ferait un bien fou. Alors on a réservé.

Un bien fou.

Le jour du départ, Max n'arrêtait pas de répéter ça à voix haute, « Un bien fou », un mantra, les maxillaires crispés, les mains agrippées aux accoudoirs. L'énorme ferry tanguait comme une pirogue prise dans la houle. Les autochtones, habitués, dormaient ou lisaient. Les touristes rendaient tripes et boyaux. L'odeur était insoutenable. « Un bien fou », chantonnait Max, tandis que ses enfants hoquetaient, exsangues, éclaboussés de vomi tels l'héroïne de *L'Exorciste*. Moi, vautrée, les bras en croix, je devais arborer le même visage méconnaissable que lors de mes accouchements.

Dès l'arrivée, le charme opéra. Le vent était chantant, parfumé. Tout le monde se sentit mieux. Une Jeep attendait, avec un gentil chauffeur. Un sentier ensablé menait à la maison blanche tout en haut de la falaise. La même que sur le site internet. Ravissante. (Ouf, dit Max). Sur le palier, une dame pimpante patientait, vêtue d'un tablier. Le frigidaire était plein de choses fraîches et appétissantes, la décoration intérieure était jolie, une salle de bains high-tech, impeccable, et les lits étaient faits. (Ouf, pensai-je.)

Le soleil allait se coucher, vieux rose, dans une mer scintillante et apaisée. La dame avait préparé l'apéritif. Nous l'avons pris sur la terrasse, face à la mer. La vue coupait le souffle. On voyait les ferrys sillonner sur la grande nappe argentée teintée de rouge. Droit devant, les flancs sombres et massifs d'une autre île. C'était presque trop beau pour être vrai.

(Quand je repenserai plus tard à cette première soirée idyllique, je me dirai qu'il y avait eu, comme ça, cette petite bulle, cette parenthèse bénie où tout avait été magnifique, simple et fluide.)

Le lendemain matin, un lundi, alors que nous prenions tous les quatre le petit déjeuner sur la terrasse, assez tôt, vers huit heures, en jouissant de la vue, du silence, du murmure de la mer, de la caresse du vent, un bruit effroyable se fit entendre. Celui de plusieurs marteaux-piqueurs effrénés, stridents, insupportables. Cela venait de plus haut sur la falaise. Et cela dura toute la matinée. On alla à la plage, stoïques. Mais même en bas, on captait toujours cet infernal bruit. L'après-midi, ce fut pire encore. Deux camions monstrueux, auréolés de nuages de gaz noirâtres et puants, entamèrent un incessant ballet en montant et descendant des cargaisons de briques, pierres et gravats. Ils passaient à un mètre de la maison et les fondations tremblaient à chaque fois. À six heures du soir, cela stoppa, enfin.

Nous avons dîné en profitant du divin silence. Même les enfants se taisaient, respectueux. Vers minuit, les petits étaient couchés depuis longtemps. Max et moi avons parlé sur la terrasse. Les travaux allaient-ils reprendre le lendemain matin ? Que faire si c'était le cas ? Nous avons décidé de ne pas laisser cette pensée gâcher nos vacances. On verrait bien. Max se leva pour aller dans la salle de bains.

Je fumais tranquillement en regardant les étoiles, la tête en arrière. On était bien, quand même, ici. Comme c'était beau. J'avais déjà oublié les marteaux-piqueurs et les camions. Demain, j'achèterais des masques de plongée et des palmes. Les enfants seraient ravis.

Max fit une apparition brutale dans mon champ de vision. Son visage s'était comme affaissé. « Qu'est-ce que tu as ? » demandai-je, effrayée. Il bégaya une phrase incompréhensible, un index tremblant dardé vers la maison. J'ai pensé qu'il y avait un insecte dans le lavabo, un scorpion, une araignée, une bestiole dans ce genre qui avait terrifié Salomé ou Gaspard, et que Max ne savait pas gérer.

Arrivée dans la salle de bains, une vision stupéfiante m'accueillit. Les toilettes suspendues, hyper-modernes, s'étaient décrochées et gisaient sur le côté, vidées de leur contenu (eaux, papier toilette, et productions intimes de mon mari). « Mais qu'as-tu fait ? » dis-je, ahurie. Je n'aurais pas dû. Il perdit son sang-froid habituel. Il ressemblait tant à sa mère dans ces moments-là. J'ai détourné les yeux, j'ai encaissé. Qu'avait-il fait ? Putain ! J'étais folle ou quoi ? Il s'était assis, point, pour aller aux toilettes. Il s'était ASSIS, merde !

Il n'y avait pas d'autres WC dans la jolie maison. Le lendemain matin, Max appela l'agence de location. On promit d'envoyer un plombier dans l'heure. Tandis qu'on attendait le plombier, en expliquant aux enfants incrédules mais amusés qu'il fallait faire leurs besoins dans le jardin, les camions et les marteaux-piqueurs avaient repris leur concert infernal. À bout de nerfs, je décidai d'aller voir d'où venait ce boucan.

Nous sommes montés tout en haut de la falaise avec Gaspard. Un vaste chantier s'offrit à notre vue. Des camions, des pelleteuses, des montagnes de gravats. Un Italien richissime se faisait construire une maison somptueuse. Ça allait durer encore deux mois. Nous sommes redescendus. Je ne savais pas comment annoncer la nouvelle à Max. Max carburait à la perfection. Dans le monde de Max, tout était parfait. Tout était « merveilleux et divin ». Il valait mieux ne rien dire.

Le plombier arriva en fin de journée, alors que ma petite famille avait subi le bruit, la fumée, et le manque de toilettes. C'était un brave gars du coin, rustre, la clope au bec. Il se gratta la tête devant l'épave des WC. Le type de l'agence était là aussi, et traduisait. « Ah, c'est très embêtant, il dit qu'ils n'ont pas du tout ce modèle, ça vient d'Athènes. Ça va mettre des semaines. »

Max resta étonnamment calme. Pas grave. Aucune importance. Il décida de nous emmener à une nouvelle plage, un peu plus loin. On irait en Jeep. On fuirait les camions et l'absence de WC. À notre retour, la personne de l'agence aurait surement trouvé une solution.

Une fois sur la plage – déserte, belle, balayée par le vent – Max se lança dans l'eau. Il nagea longtemps, en évitant les nombreux véliplanchistes. Il devait se dire que tout ça c'était « extraordinaire, divin, merveilleux », le corps pétri par les vagues, le souffle court.

Lorsqu'il est sorti de l'eau, et qu'il s'est allongé sur sa serviette, j'ai vu la bouche de Salomé s'arrondir d'horreur. Max s'était profondément entaillé la plante du pied sur un rocher ou quelque chose de coupant. Ça pissait le sang. Partout. La plaie était moche. J'ai paniqué. Personne sur la plage à part les véliplanchistes dans l'eau. Il fallait l'emmener aux urgences.

« Oh, mais tu pleures, papa ! » bredouilla Gaspard. Max sanglotait comme un gosse, l'échine pliée, la morve au nez, secoué de spasmes. Jamais je ne l'avais vu pleurer comme ça. On aurait dit que ça lui faisait un bien fou.

OZALIDE

L'écrivain habitait une maison ancienne res-
taurée en briques avec, à l'arrière, un jardin
entouré d'arbres, ce qui lui paraissait un luxe
dans ce quartier très construit ; seuls des gens
riches et célèbres pouvaient s'offrir un jardin
aussi grand. Elle marqua un temps d'arrêt avant
d'appuyer sur l'interphone. C'était un moment
surréaliste qu'elle voulait savourer.

Il faisait sombre ; la ville semblait bloquée par
l'activité ralentie et léthargique de l'heure de
pointe. Les klaxons retentissaient et les moteurs
grondaient. Mais elle n'entendait rien. Elle était
parfaitement enfermée dans sa bulle de silence.
Elle était là, devant la maison de l'écrivain.
Sa maison. Elle allait y entrer, elle allait poser
ses pieds là où il posait les siens, ses mains où,
chaque jour, il posait les siennes. Elle leva les
yeux vers le sommet de la façade en briques.

Du lierre s'accrochait aux murs. Elle avait lu, comme tout le monde, que son bureau se trouvait dans les combles, tout en haut de la maison. Elle n'arrivait pas à le voir, même en tendant le cou. Elle connaissait, comme tout le monde, la vue qu'il avait de là-haut et elle savait que l'écrivain ne laissait monter que très peu de visiteurs, uniquement des amis proches et des membres de sa famille. Seule une poignée de journalistes avaient eu la chance d'y être invités, car ses interviews s'y déroulaient rarement. Elle n'avait réussi à trouver sur Internet qu'une photographie de lui dans son antre. Et encore, on ne le voyait que de dos avec ses épaules larges, ses épais cheveux argentés recouvrant sa nuque et, devant lui, l'immense verrière dominant la ville et la rivière. Pas de bureau, pas d'ordinateur ni rien de la sorte, que des étagères et des étagères de livres. Mais elle savait, comme quiconque connaissant un tant soit peu cet écrivain, que c'était son fameux bureau dans les combles.

Elle appuya sur l'interphone (elle remarqua qu'il n'y avait pas de nom, pas même ses initiales) et la porte s'ouvrit presque aussitôt. Un homme grand et mince apparut. Il portait un petit bouc noir et des lunettes. Un jean noir et un tee-shirt noir.

— Oui, dit-il sèchement.

Elle se risqua :

— Je suis Ozalide.

— Et alors ? aboya-t-il.

Elle entendit une voix de femme au fond de la maison.

— Tristan, c'est la nouvelle baby-sitter.

Tristan fit enfin un sourire et haussa les épaules. Il s'écarta pour la laisser entrer.

— Désolé, mais parfois on a des admirateurs. C'est pas toujours agréable.

Elle se glissa à l'intérieur ; son cœur battait la chamade.

— Vous avez dit que vous vous appeliez comment ?

— Ozalide.

Il sifflota.

— Est-ce que c'est français ?

— Euh, un petit peu, dit-elle. Mais vous pouvez m'appeler Oz.

Elle leva la tête pour regarder autour d'elle. L'entrée était vaste avec un sol dallé et des plafonds hauts en stuc. Elle remarqua un somptueux fauteuil rouge qui ressemblait à un trône.

Un large escalier en bois menait au premier étage. Des portes-fenêtres donnaient sur le jardin. Elle distingua un figuier luxuriant, un banc et une table en fer forgé, une pelouse verte bien soignée. Elle s'imprégna de la chaude odeur qui embaumait un mélange de bonne cuisine, de draps propres, de savon, de cire et d'épices. Sa maison. L'odeur de sa maison. Celle qui l'accueillait chaque jour quand il franchissait son seuil. L'autre type, Tristan, lui parla mais elle était trop absorbée à examiner l'endroit, à le sentir. À s'en imprégner. Il s'adressa de nouveau à elle.

— Est-ce que je peux avoir vos références ?

— Euh, elles ont été envoyées la semaine dernière…

Une femme apparut.

— Oui, nous les avons eues, merci.

Elle lui tendit la main.

— Je suis Tina Norton. C'est à moi que vous avez parlé.

Ozalide se doutait que sa paume de main devait être moite et chaude. La femme avait la cinquantaine, elle était grande et mince, comme lui, et habillée elle aussi en noir. Sa main à elle était froide, comme son sourire.

— Merci d'être venue, Ozalide, dit-elle.
Ce n'est pas facile de trouver de bonnes baby-
sitters de nos jours. Vos références sont excel-
lentes.

Tina Norton s'écarta et fit signe à Ozalide de
la suivre. Elle l'emmena jusqu'à une grande cuisine qui donnait sur le jardin.

— Café ? Thé ?

— Hum, non merci.

— Nous allons juste discuter de deux trois
choses, dit Tina Norton en s'asseyant tout en lui
indiquant une chaise à côté.

Ozalide s'exécuta.

Un bol de fruits frais. Une machine à café.
Un grille-pain à l'ancienne. Un gros réfrigé-
rateur en métal chromé, une cuisinière AGA,
une bouteille de vin à moitié vide sur la longue
table en bois. Château Margaux. Son vin préféré. C'est ici qu'il prenait ses repas. Chaque
jour. C'est ici qu'il préparait son café. Chaque
jour. Elle sentit que Tina la regardait, aussi elle
s'arracha à contrecœur de sa contemplation du
décor.

— Flora, la baby-sitter habituelle de Pamina,
est malade en ce moment, c'est pourquoi nous
faisons appel à vous. Ce qui nous a fait retenir

votre CV, c'est votre expérience avec des enfants handicapés à… Où était-ce déjà ?

— Euh, à Montpellier, dit Ozalide.

— Les gens là-bas ont dit beaucoup de bien de vous, de votre patience et de vos compétences. Pamina va dans une école spécialisée le matin, donc nous aurons besoin de vous en fin d'après-midi, pendant deux trois heures et peut-être une fois ou deux dans la soirée. Vous serez rarement seule à la maison. Pendant la journée, c'est Tristan et moi qui nous occupons de tous les rendez-vous de L.R., et de son emploi du temps. Et puis il y a Wanda, la domestique. Vous avez des questions ?

Ozalide hocha la tête.

L.R., ses employés l'appelaient donc comme ça. L.R. Cela lui procura un petit frisson.

— Pamina est actuellement avec son physiothérapeute, donc vous ne pourrez la voir que dans un petit moment. Mais profitons-en pour visiter les lieux, pour que vous sachiez vous débrouiller.

Ozalide espérait qu'elles monteraient en haut du grand escalier. Elle mourait d'envie de voir l'autre partie de la maison et de connaître

les détails matériels de sa vie de tous les jours.
C'était une envie intense et terrible, comme l'on
peut avoir envie d'un gâteau au chocolat riche
et moelleux, une voracité irrésistible. Mais au
lieu de monter, Tina la fit passer par une porte
très large, toujours au rez-de-chaussée. Bien
sûr, pensa-t-elle, la chaise roulante.

L.R. avait trois enfants. Ceux qui connais-
saient l'écrivain savaient ce qu'il en était de
ses enfants. Ses mariages. Ses liaisons. Ses
divorces. L'aînée de ses enfants, Ysabel (trente-
trois ans), une mondaine ex-mannequin, vivait
à l'île Maurice et, malgré de nombreuses cures
de désintoxication, avait toujours un problème
d'alcoolisme. Le second, un fils, Sacha (trente
et un ans), était homosexuel et tellement beau
qu'il aurait pu être acteur, mais il était journaliste spécialiste de politique internationale. Et
enfin il y avait la petite Pamina (dix ans), handicapée. Trois mères différentes. Tout le monde
les connaissait également. La mère d'Ysabel
était la célèbre star de rock Tipper Flint, morte
dans un accident de voiture dans les années
1990 (de sublimes photos, inoubliables, mon-
traient L.R. inconsolable à son enterrement). La
mère de Sacha était la sénatrice Hunter Briar,

une féministe redoutable, et leur divorce avait défrayé la chronique. L.R. venait d'obtenir le prix Pulitzer pour *Excès de bagages*. Sa célébrité s'étendait dans le monde entier. Il semblait que personne ne pouvait se lasser de ses yeux couleur fauve, de ses cheveux prématurément argentés, de son visage mince en lame de couteau. Personne ne pouvait se lasser de ses romans qui se vendaient dans le monde entier, comme aucun écrivain de sa génération. La mère de Pamina était Angela Lynn Fern, qui avait la moitié de son âge et qui était également un auteur à succès. Cela avait été son mariage le plus court. Quand la petite fille était née, on avait su qu'elle était handicapée mentale sévère et qu'elle ne pourrait jamais ni marcher ni parler. L'écrivain ne s'en était jamais caché vis-à-vis du public. Et après la fin de son mariage, il avait obtenu la garde de sa fille. Ses deux derniers romans lui étaient dédicacés. Tous ceux qui s'intéressaient à l'écrivain savaient combien il aimait Pamina.

— Vous n'aurez besoin de rien à l'étage, dit Tina d'un ton ferme. Les pièces de Pamina sont ici, au rez-de-chaussée, et mon bureau et celui de Tristan sont à l'autre bout. Il y a un téléphone avec un système d'interphone au cas où il vous faudrait de l'aide. Pamina a tendance à s'assoupir durant la journée, aussi apportez un livre ou quelque chose pour vous occuper pendant qu'elle dort. Mais vous avez l'habitude de travailler avec des enfants handicapés, donc je pense que je n'ai pas besoin de vous le dire.

Elles se tenaient à l'entrée d'un long et large couloir. Le sol était recouvert d'un épais tapis bordeaux. Les murs étaient couleur nacre, les lumières pâles.

Tina se retourna pour regarder Ozalide.

— Quel âge avez-vous ?

— Vingt ans.

— C'est incroyable à votre âge toute cette expérience que vous avez avec les enfants.

— Oui, dit Ozalide.

Tina ouvrit une haute porte à panneaux.

— Voilà, dit-elle. C'est chez Pamina. Là-bas, c'est sa chambre, son cabinet de toilette, et la salle de jeux, où elle se trouve à l'instant, est par ici.

Provenant de la pièce, une voix masculine agréable. Le physiothérapeute.

— C'est bien, essaye encore, juste encore une fois ; tu le fais très bien, je suis fier de toi.

On entendit un étrange gémissement, comme celui d'un animal. Et Ozalide se demanda soudain si elle serait capable de faire face à ça, à tout ça.

— Est-ce que Monsieur…

Elle ne savait comment l'appeler.

Le visage de Tina s'épanouit.

— Oui, il est à la maison, il n'est pas en tournée pour son livre ; il sort parfois, mais il vient souvent voir sa fille, il passe beaucoup de temps avec elle. Vous le verrez.

Ozalide respira profondément. Est-ce que Tina allait remarquer ses mains qui tremblaient ? Et ses paupières qui battaient ? Son pouls rapide qui résonnait dans ses oreilles ? Non, Tina n'avait rien remarqué. Tina était trop occupée à lui parler, mais que lui disait-elle ? Ozalide n'arrivait pas à se concentrer, Ozalide ne l'entendait que répéter une chose : « Il est à la maison, vous allez le voir. »

Tout avait commencé avec *Excès de bagages*. Le livre était déjà sorti depuis longtemps, mais elle ne l'avait découvert que deux ans auparavant. Un livre de poche tout déchiré qu'elle avait déniché dans un marché aux puces crasseux. Le titre l'avait attirée, ainsi que la photographie de l'homme sur la couverture. Elle ne savait pas alors que c'était lui, l'écrivain, sur la couverture de son livre. Elle avait été séduite par ses yeux pâles, ses cheveux argentés, son visage hâlé et buriné, un vague sourire hésitant sur ses lèvres minces. Elle n'avait jamais été une lectrice. Dans la famille d'accueil misérable où elle avait grandi, personne ne lisait jamais. Les autres enfants regardaient la télévision ou jouaient aux cartes. Les parents se disputaient. Personne ne prenait jamais un livre. Elle lisait des magazines, des magazines sur papier glacé qui donnaient des conseils captivants sur la façon de s'y prendre pour atteindre un orgasme inoubliable. Elle avait ouvert le livre par curiosité et, pour une raison ou pour une autre, les premières phrases lui avaient sauté aux yeux, elles l'avaient saisie derrière la nuque et serrée comme dans un étau en fer, sans qu'elle puisse bouger. Elle avait lu les vingt premières pages debout dans l'autobus, les dévorant d'une manière délicieusement effrénée, oubliant tout ce qui était autour d'elle, où elle était, qui elle était, où elle allait. Elle manqua son arrêt et dut retourner à pied à la maison de jeunes sous une pluie battante, mais cela lui était bien égal. Elle passa sa nuit à lire le roman avec un appétit fébrile, comme cela ne lui était jamais arrivé, et elle le relut le lendemain.

L'auteur avait écrit le livre pour elle. Elle le savait. Elle en était intimement convaincue. C'était son histoire à elle, son angoisse, ses craintes, ses espoirs, tout y était, il n'avait rien oublié. Son écriture s'imprimait intimement dans ses cellules, dans son sang, dans les coins et les recoins de son cerveau. L'écrivain savait exactement qui elle était. Il la connaissait comme s'il l'avait faite. Il savait tout sur elle, même ses secrets les plus obscurs. Les secrets qu'elle essayait si fort de dissimuler.

Elle se rendit dans une librairie et dans une bibliothèque municipale, et se procura tous ses livres. Tous les sept. Tout ce qu'il avait publié dans sa vie. Elle les lut de façon minutieuse, en soulignant toutes les phrases qui résonnaient en elle avec une perfection parfaite, qui trouvaient un écho dans son corps avec une telle communion que, parfois, elle sanglotait en silence en serrant le livre contre son cœur.

Elle se mit à lui écrire. Elle écrivit à son éditeur, sachant que l'on ferait suivre ses lettres.

Elle les signait toutes de l'initiale « O ». Elle ne joignait jamais son adresse. Elle savait qu'il était bien trop occupé pour lui répondre. De penser qu'il les avait lues lui suffisait. Elle écrivit lettre après lettre. Page après page. Elle utilisait toujours le même papier bleu, la même encre bleue. Plus elle écrivait, plus elle avait le sentiment de le connaître, de la même façon que lui la connaissait. Bien entendu qu'il la connaissait, il avait écrit l'histoire de sa vie. Dans ses lettres, elle lui parlait de la tristesse qui ne la quittait jamais. Du vide et de la solitude. Elle parlait de la mort de sa mère, de son père qui n'avait plus jamais donné signe de vie depuis qu'il avait quitté la maison, de la monotonie de son travail d'employée de bureau. De ce qu'elle ressentait lorsqu'elle se regardait dans le miroir. Des pipes furtives dans des parkings sombres quand elle n'arrivait plus à joindre les deux bouts.

Elle lui parlait de sa magnificence, de sa suprématie, de l'intimidation et de la magie de son art, de ce que son écriture provoquait dans son for intérieur. Elle écrivait sans arrêt, couvrant des pages et des pages d'encre bleue. Elle devait ensuite bourrer une enveloppe de ces feuilles pliées. Elle prenait aussi des photos d'elle nue sur son lit, entourée de ses livres, et elle les lui envoyait. Juste son corps, jamais son visage. C'était beau, pensait-elle. Son corps à elle, encadré par son travail à lui. Elle espérait que lui aussi les aimait. Elle se plaisait à imaginer qu'il gardait toutes ses lettres, toutes ses photos depuis la première lettre, deux ans auparavant. Où les gardait-il ? songeait-elle. Probablement dans une grande boîte. Elle aimait cette idée. Cela lui procurait une sensation de chaleur et de douceur. Elle n'avait pas souvent ce genre de sensation. Elle ressentait cela quand elle assistait à ses lectures. Mais ces lectures étaient tellement bondées, il y avait tant de monde, elle devait faire la queue pendant des heures pour lui faire signer son livre ou essayer de lui parler. Il n'avait jamais le temps. C'est tout juste s'il levait les yeux, ses yeux vert-de-gris, et avec un petit sourire disait : « Est-ce que ce livre est pour vous ? Comment vous appelez-vous ? » Il n'avait jamais paru réagir quand elle donnait son nom, elle se demandait s'il y avait beaucoup d'« Ozalide » dans son entourage.

Ou peut-être se plaisait-elle à penser qu'il savait exactement qui elle était ; « O », c'était pour Ozalide, bien sûr qu'il savait qui elle était ;

il avait écrit tout un livre sur elle, il avait gardé toutes les photos qu'elle lui avait envoyées mais il ne voulait pas que d'autres lecteurs le sachent, tous ces gens qui étaient là et qui piétinaient derrière elle avec impatience, il ne voulait pas les rendre jaloux, ni les décevoir, parce que sa lectrice star, Ozalide, était là.

La petite fille assise sur la chaise roulante avait un joli visage pâle et pointu. Mais ses yeux étaient ternes. Ils n'avaient aucune expression. Des yeux noisette, grands et vides. Elle avait de longs cheveux couleur miel et portait un survêtement rose. Ses bras et ses jambes étaient fins et maigres, pas de muscles, que des os. Sa bouche était continuellement à moitié ouverte. Ozalide la jaugea, fit le sourire qui convenait, dit ce qu'elle était censée dire, quelque chose de gentil, quelque chose de poli. Quelque chose de rassurant. Elle passa un moment avec la petite fille sous le regard de Tina. La petite fille ne parlait pas. Elle grognait ou gémissait comme un animal. Elle ne pouvait pas se lever de sa chaise roulante, elle n'avait pas de vigueur, pas d'énergie. Elle restait simplement assise.

— Je vais vous laisser avec elle quinze ou vingt minutes, dit Tina gaiement. Juste pour voir comment elle réagit, d'accord ? Si vous avez un problème, appelez-moi sur le téléphone, mon poste, c'est celui avec « TN » dessus.

Ozalide resta seule dans la grande salle de jeux avec l'enfant. La pièce était peinte en bleu clair et elle venait tout juste de remarquer que le plafond était décoré avec des nuages blancs mousseux. Il y avait des ours en peluche gigantesques, des posters d'*Alice au pays des merveilles* et du *Roi Lion*. Il y avait aussi des livres. Elle se leva pour scruter les étagères. Des classiques pour enfants, d'Enid Blyton à Jules Verne. Elle n'en avait lu aucun car le seul auteur qu'elle avait jamais lu était L.R. *Le Jardin secret*, *Une petite princesse*, *Le Petit Lord Fauntleroy* de Frances Hodgson Burnett. La série des *Flicka*. *Narnia*. *Bilbo le Hobbit*. *Le Prince heureux* d'Oscar Wilde. Elle en prit deux ou trois, les ouvrit. Sur la page de garde, la même écriture encore et toujours. À Pamina. De la part de son père, tendrement. L.R. Elle avait rarement vu son écriture avant. Uniquement sur les livres qu'il lui avait signés. Elle la regarda fixement, fascinée. Sur son blog, qu'elle visitait chaque

134

jour, même si lui ne le mettait pas à jour très souvent, il avait récemment déclaré qu'il utilisait un ordinateur pour écrire ses livres. Il écrivait très rarement à la main.

Elle prit *Le Jardin secret* et retourna vers la fillette qui s'était assoupie sur sa chaise. Elle remarqua combien ses jambes étaient petites et maigres. Des jambes qui ne marcheraient jamais. Elle commença à lire d'une voix douce et basse. C'est probablement ce qu'il faisait pour sa fille puisqu'elle ne pouvait pas lire. Et qu'elle ne lirait jamais.

La pièce était très calme. Parfois le visage de la petite fille se déformait en un froncement de sourcils ou un étrange sourire. Un peu de bave coulait sur ses lèvres. Ozalide continua à lire. Elle se demanda si on l'observait avec une caméra cachée. Elle s'arrêta de lire et regarda autour d'elle. Elle ne voyait rien qui ressemblait à une caméra.

Le téléphone émit un son de carillon magique qui ne réveilla pas l'enfant. Les lettres « L.R. » s'allumèrent en rouge brillant. C'était lui qui appelait de ses combles. Lui, là-haut. Elle se sentit défaillir. Sa main était posée sur ses genoux, un poids mort, incapable d'attraper le combiné. Finalement, elle le saisit et le colla sur son oreille. Elle marmonna :

— Allô.

— Qui est-ce ?

La voix était familière, elle l'avait entendue tellement souvent à la radio, à la télé, à des lectures. Mais là, la voix lui parlait à elle. À elle seulement.

— La nouvelle baby-sitter, bégaya-t-elle.

— Je vois.

Avant qu'il ait pu ajouter quoi que ce soit, Tina entra dans la pièce et lui prit le téléphone des mains, gentiment mais fermement. Elle parla à l'écrivain à voix basse afin de ne pas réveiller l'enfant.

— Nous avons trouvé quelqu'un de bien. Oui. Absolument. C'est ça. On en discute tout à l'heure.

Ozalide dut remplir et signer de la paperasserie et on lui demanda de revenir le lendemain soir à 7 heures. Pamina aurait déjà pris son repas et serait prête à se coucher. Ozalide aurait juste besoin de la garder jusqu'à leur retour à minuit. Wanda, la domestique, serait là dans son appartement au sous-sol si jamais il y avait un problème.

Plus tard, Ozalide quitta la maison de l'écrivain avec une sensation de paix et de bonheur. Elle se sentait presque flotter en marchant. Il s'en fallait de peu pour qu'elle se mette à chanter et à danser. De retour dans sa petite chambre humide, elle se fit une tasse de thé et se blottit sur son lit. Oui, ça avait marché. Oui, ça avait été si facile. Cela avait pris du temps de planifier et de tout mettre au point, mais elle avait réussi. Elle l'avait fait. Elle était géniale. Le miroir taché au-dessus du lavabo lui renvoya une image plaisante d'autosatisfaction ronronnante. « Géniale, roucoula-t-elle. Absolument putain de géniale, Oz. » Elle vissa son iPod dans ses oreilles (un iPod bon marché qu'elle avait acheté d'occasion sur eBay) et mit à fond *Personal Jesus* chanté par Marilyn Manson. Oui, l'écrivain, c'était son Jésus personnel à elle ; c'était vraiment ça et personne ne pourrait jamais le lui retirer.

Elle se pencha et attrapa son portable sous son lit, où elle le cachait dès qu'elle sortait. La serrure de sa porte n'était pas de bonne qualité, le quartier n'était pas recommandable et elle ne supportait pas l'idée que l'on puisse lui voler son ordinateur. Son ordinateur était, mis à part son adoration pour l'écrivain, la chose la plus importante de sa vie. Elle se branchait sur Internet en utilisant une connexion Wi-Fi non protégée. Quand cela ne marchait pas ou que le signal était trop faible, elle piratait, à leur insu, celle de ses voisins.

Elle passait la plupart de ses soirées en ligne. C'est là qu'elle lisait tout ce qu'elle pouvait sur lui. Elle connaissait exactement son emploi du temps, elle savait où il faisait une signature, où il voyageait, dans quel pays il devait se rendre. C'était facile de le suivre. Cela avait été facile de trouver son adresse personnelle. Tout était facile sur Internet. C'était facile de couper et de coller. De se cacher derrière un avatar. De faire semblant d'être quelqu'un d'autre. C'était la vraie vie, sa dure réalité viciée qui lui faisait horreur. Ce qu'elle ne pouvait supporter, c'était ce qu'elle était vraiment, ce à quoi elle ressemblait, la solitude totale de sa vie.

Le lendemain soir, elle était en face de la maison de l'écrivain, juste à l'heure. Elle s'était habillée avec soin, un jean blanc, un haut blanc, et elle avait démêlé ses longs cheveux, ce qui prenait toujours du temps. Tristan lui ouvrit. Il parlait au téléphone, un portable coincé entre sa mâchoire et son épaule, et lui tenait la porte. Puis il lui fit un signe vers la partie de la maison qui était celle de Pamina et elle comprit que c'était là qu'elle devait aller. En se dirigeant vers la chambre de Pamina, elle flaira un parfum qu'elle n'avait pas encore senti dans la maison. C'était une eau de Cologne d'homme. En frappant à la porte de Pamina, son cœur se mit de nouveau à battre fort. C'était son parfum. Ça devait être son parfum. Cela ne pouvait être que le sien.

Tina ouvrit la porte et mit un doigt devant la bouche. Elle fit un signe de la tête vers le lit. Ozalide n'osait pas regarder. Elle vit son dos penché sur un livre. Elle entendit sa voix profonde. Elle voyait ses mèches de cheveux argentés qui descendaient sur son cou. Elle gardait le regard baissé, serrant son petit sac à dos. Elle essayait de toutes ses forces de respirer normalement, d'éviter que son visage ne devienne rouge cramoisi. Il faisait chaud, pensait-elle, tellement chaud qu'elle allait encore se mettre à transpirer et sa lèvre supérieure serait brillante et humide, ce qu'elle détestait, ses mains et ses aisselles seraient moites. Elle gardait le regard baissé, ce qui l'aidait à rester calme. Après un moment, son cœur s'arrêta de battre aussi fort.

L'écrivain s'était retourné. Enfin, elle leva les yeux, osant à peine le regarder en face.

— C'est la nouvelle baby-sitter, Ozalide, murmura Tina, en faisant attention de ne pas déranger l'enfant qui dormait.

Elle rassembla toutes ses forces. Ça y était. Cela allait être le grand moment. Le moment dont elle se souviendrait toute sa vie. Ozalide, est-ce vraiment vous ? C'est incroyable. Tina, c'est étonnant, Ozalide est ma lectrice vedette, elle vient à toutes mes signatures, elle m'inspire de la manière la plus sublime qui soit, elle m'écrit des lettres si profondes, tu sais, sur du papier bleu, je les garde toutes, j'en ai des centaines, j'aime vos lettres, c'est si merveilleux que vous soyez ici, Ozalide, dans ma maison ; c'est une très bonne surprise, et elle se répandrait en compliments : merci, moi aussi je suis vraiment contente d'être ici, cela me fait tellement, tellement plaisir de vous revoir.

Il portait un jean et une chemise sombre, le col ouvert. Elle fut frappée par sa taille. D'habitude elle le voyait assis. Il avait l'air immense, beaucoup plus vigoureux que ce dont elle avait souvenir. Elle lui tendit une main tremblante. Son sourire lui faisait mal.

— Salut, marmonna-t-il en lui serrant brièvement la main.

Il ne l'avait même pas regardée. Son regard s'était déjà reporté sur sa fille, puis sur Tina. Et il était parti. Parti.

Tina lui parlait, lui tendant un morceau de papier, marmonnant quelque chose à propos de portable, de retour avant minuit, si elle avait faim, il y avait des choses dans le frigo, s'il y avait un problème, Wanda, la domestique, était en bas, puis tout d'un coup, Ozalide se retrouva seule dans la grande pièce sombre, au milieu de l'énorme maison silencieuse. Elle resta assise presque deux heures, totalement immobile. Le seul bruit qu'elle entendait était la respiration grinçante de l'enfant. Et le terrible bruit sourd de son cœur.

Il ne l'avait même pas regardée. Il ne l'avait pas reconnue. Comment était-ce possible ? Comment cela avait-il pu se passer ? Elle restait assise, accablée. Une horrible douleur aiguë l'irradiait, s'enfonçait en elle, la pénétrait, tel un viol. Des larmes commencèrent à couler sur ses joues. Elle ne s'était jamais sentie aussi seule, si blessée, si trahie.

La nuit tomba doucement. Elle attendit encore un peu, elle était paralysée, ses joues trempées, ses larmes rebondissant sur ses cuisses. Plus qu'une demi-heure avant minuit. Ils seraient bientôt rentrés.

Elle sut soudain ce qu'elle devait faire. C'était clair, tellement clair qu'elle laissa presque échapper un petit cri perçant. Elle attrapa son sac à dos et sortit discrètement de la chambre, fermant sans bruit la porte derrière elle. Elle rampa le long du couloir. Les pièces de Wanda étaient juste en dessous, il fallait qu'elle fasse très attention. Elle arriva à la grande entrée. Une bougie parfumée tremblotait sur la cheminée. Devant elle, le bois brillant de l'escalier. Elle s'arrêta un instant. Il n'y avait aucun bruit. Elle mit un pied, puis l'autre, sur les marches. Le bois ancien grinçait. Elle s'arrêta encore. Son cœur battait la chamade. Que ferait-elle si la domestique apparaissait dans l'embrasure de la porte? Comment pourrait-elle expliquer ce qu'elle faisait?

Mais personne ne venait. Elle continua son ascension, lentement, marche par marche, en faisant infiniment attention. Elle n'avait pas beaucoup de temps. Elle monta tout en haut de la maison, jusque dans les combles, là où il travaillait. La porte n'était pas fermée à clé. Allons, allons, Monsieur l'écrivain, quelle bêtise de ne pas fermer votre porte à clé. La porte s'ouvrit; elle resta sur le seuil, intimidée. La pièce était immense. Magnifique. Les combles en ogive, les poutres, la cheminée, les rangées de livres. L'énorme verrière donnant sur les lumières de la ville et les étoiles. C'était là qu'il travaillait. C'était là qu'il écrivait ces mots si beaux qui donnaient un sens à sa vie.

Sur son bureau, l'ordinateur était allumé, ce n'était pas du tout un nouveau modèle. Mais elle savait que l'écrivain n'avait rien d'un crack en informatique. Un mouvement la fit sursauter. Un chat noir glissa derrière elle, effleurant son mollet. Elle eut un frisson. Pour l'amour du ciel, Ozalide, les chats ne parlent pas. Les chats ne diront rien.

Il n'y avait même pas de mot de passe pour rentrer dans son ordinateur. Elle savait y faire avec les mots de passe. Elle les débusquait toujours. Allons, allons, Monsieur l'écrivain, êtes-vous aussi négligent que ça? pensa-t-elle. Comment pouvez-vous être aussi négligent? Elle cliqua prestement sur ses documents récents. Et voilà, elle y était. Le nouveau roman en cours. Il n'avait pas de titre. Il s'appelait juste *Livre*. Elle vérifia, c'était bien la dernière chose sur laquelle il travaillait. 376 pages. Il n'écrivait jamais beaucoup plus de 400 pages, elle avait donc la plus grosse partie du livre. Ça lui était égal s'il n'était pas terminé. Complètement égal.

Elle glissa sa clé USB dans l'ordinateur. Ça y est, elle y était pour de bon. Cela lui prit seulement quelques secondes pour transférer le document. Elle se souvint qu'il avait avoué dans une interview qu'il n'était pas très débrouillard avec les ordinateurs, qu'il sauvegardait rarement ce qu'il tapait sur un CD ou sur une clé. D'un seul clic brutal, elle effaça entièrement du disque dur son nouveau livre. Il avait disparu. Elle remarqua une clé USB à côté de l'ordinateur; elle la glissa à l'intérieur, vit qu'il avait fait une copie récente et l'effaça à son tour.

Elle dévala les escaliers aussi vite qu'elle put, tremblant à cause du bruit terrible qu'elle faisait. Elle se précipita vers la porte, ouvrit le verrou de ses doigts fébriles, bondit dehors, referma derrière elle, tressaillit au bruit métallique fracassant et se mit à courir maladroitement. Pourquoi s'était-elle habillée en blanc ? pensa-t-elle avec consternation, alors qu'elle haletait dans la rue déserte. Les voisins et les passants la remarqueraient, cette grosse fille habillée en blanc dans la rue, courant comme une dératée, ses longs cheveux blonds défaits dans son dos. Elle courut sans s'arrêter jusqu'à la station de bus, à bout de souffle, un point de côté, ruisselante de sueur. Elle tripotait sans relâche la petite clé USB dans sa poche. Elle mourait d'envie d'éclater d'un rire jubilatoire. Personne d'autre qu'elle ne lirait jamais le livre. Personne d'autre sur cette terre. C'était trop beau pour être vrai.

Ils ne la retrouveraient jamais. Toutes ses références étaient fausses. Montpellier avait été facile à arranger. Juste quelques adresses e-mail bricolées. Une voix différente, aiguë et nasale. Tellement facile avec une mauvaise connexion

Skype. Sans oublier l'accent français, les doigts dans le nez, puisqu'elle était à moitié française. Elle avait rempli toute la paperasserie avec des adresses et des numéros bidon. Quand elle avait appelé Tina Norton, elle avait utilisé des téléphones publics loin de là où elle habitait, et jamais son téléphone portable. Elle avait envoyé des e-mails de différents cybercafés et son adresse numérique IP n'apparaissait pas. Personne ne pourrait la retrouver. Elle ne s'appelait même pas Ozalide. Mais elle savait que l'écrivain se souviendrait de ce nom toute sa vie.

Traduit de l'anglais par Odile Hirsch

SUR TON MUR

Pendant des heures, Lola est restée coincée près du buffet, sa coupe de champagne, devenue tiède, à la main. Elle connaît peu de gens, à part Aline et Olivier, aperçus à l'entrée et qui avaient pu rajouter son nom sur la liste des invités à la dernière minute. Elle tente de se frayer un passage vers la piste de danse. Impossible. La foule est compacte, masse parfumée et chaude qui ne bouge pas. Elle se glisse à travers tant bien que mal, en diagonale, avec un sourire béat, son iPhone collé à l'oreille. Même si elle ne parle à personne, cela lui donne une contenance. Elle fait ça souvent.

L'endroit est impressionnant. Une ancienne banque des beaux quartiers transformée en boîte de nuit, décorée dans des tons pourpre et ébène, plafonds vastes, stucs, pierres de taille et dorures. Pour rien au monde, elle n'aurait raté cette soirée. C'était l'événement dont tout

le monde parlait. La fameuse « Velvet Night ».
Y être était un must. Toute une histoire pour
s'habiller aussi. Elle avait envoyé un SMS urgent
à Sacha, la suppliant de lui prêter ses escarpins
à semelle rouge, et à Kristina, pour sa robe de
soie froissée bleu nuit. Malgré sa fraîcheur, sa
jolie toilette, sa coiffure (un chignon décoiffé),
elle a l'impression d'être invisible. Personne ne
la regarde. Les gens parlent, rient, murmurent
à l'oreille les uns des autres. Les femmes sont
élégantes, fines, juchées sur des talons interminables. Les hommes sont vêtus de sombre,
pas de cravates, quelques blousons en cuir. De
temps en temps, un visage célèbre, celui d'un
acteur, d'une romancière, d'un présentateur TV,
se détache des autres. C'est amusant, de côtoyer
des stars. Cela ne lui était pas souvent arrivé.

Elle se demande combien de temps elle va
pouvoir rester ici sans commencer à se sentir seule, triste et moche. Attention à ne pas
boire trop de champagne. Un serveur lui a déjà
versé une troisième flûte. Dommage, elle voyait
déjà les photos qu'elle aurait pu mettre sur
Facebook. Et elle imaginait aussi les commentaires de ses amis. Elle prend quelques photos
tout de même, sans grande conviction.

Une heure. Elle resterait encore une heure, et puis elle s'en irait comme une petite Cendrillon triste sans prince. Elle pense à son studio solitaire et se dit qu'elle est mieux ici, finalement, même si elle ne parlait à personne. Elle pense à son canapé-lit, sa couette Snoopy, son frigo toujours vide. Elle pense à la dernière fois qu'un type avait passé la nuit chez elle. Vincent. Il était sympa. Mais il n'avait jamais donné suite. C'était souvent comme ça. Un échange de SMS, une nuit et puis plus rien. Avant Vincent, sa seule histoire importante, c'était Malek, rencontré après le bac, en vacances. Mais au bout d'un an, Malek était parti vivre aux USA pour ses études. Et là aussi, il n'avait plus donné suite. Ça lui avait laissé un goût amer.

Ce soir, elle a vraiment l'impression d'être drapée dans la cape d'invisibilité de Harry Potter. Pourtant, elle est jolie. Elle le sait. Elle l'a toujours vu dans le regard des hommes. Elle plaît. Elle plaît autant aux garçons de son âge, vingt ans et des poussières, qu'aux trentenaires et aux quadras. Et même aux vieux, ceux qui ont l'âge de son père, la cinquantaine. Dans sa faculté de droit, elle plaît aussi, on lui demande souvent son numéro, son mail, mais ça ne donne qu'une accumulation d'aventures d'un soir, et au bout d'un moment, elle se lasse. Elle a envie de quelque chose de plus fort, de plus intense.

Lola se glisse en retrait de la piste de danse. Elle adore regarder les autres danser. C'est impudique et rigolo. Une jeune femme se prend au sérieux, les hanches moulées dans un short de velours, les mains dans ses cheveux, tête en arrière. Un type grand et maigre se trémousse de façon saccadée comme s'il se trouvait sur une chaise électrique. Lola ne résiste pas. Elle prend une photo discrètement (juste leurs jambes) et la publie sur Facebook via son iPhone. Puis elle poste le statut suivant : *Je m'emmerde grave à la soirée Velvet Night.* Les commentaires ne tardent pas. Certains s'extasient qu'elle s'y trouve. *Comment t'as fait, putain !* D'autres lui réclament encore des photos. D'autres font des pieds et des mains pour venir la rejoindre. Elle s'esclaffe. Elle se sent moins seule. Tout aussi discrètement, elle prend une photo d'elle, sa jolie robe, sa jolie coiffure, et met le tout sur Facebook. Là aussi, les commentaires l'enchantent. *Meuf, t'es trop belle !* écrit sa meilleure amie, Vanessa. *J'aime trop cet tof*, écrit Sacha. *T'es juste magnifique,* commente Ben. Tout ça lui met du baume au cœur.

C'est précisément à ce moment-là qu'elle le voit. Il y a une sorte d'onde autour de lui, un mouvement de foule. Elle remarque une haute silhouette, des épaules larges, les cheveux coupés très court, un menton carré. Ses yeux s'accrochent à lui malgré elle. Elle ne peut s'empêcher de le regarder. De le regarder encore et encore. Il y a quelque chose de puissant et de volontaire qui se dégage de cet inconnu. Il passe à travers la foule, sans effort, pas comme elle, tout à l'heure. Est-il seul ? Elle tente de comprendre si les gens qui le suivent sont avec lui. En vain. Il disparaît. Sans qu'elle puisse expliquer pourquoi, elle se lance brutalement en avant, vers l'endroit où il se trouvait. Elle tape fébrilement sur Facebook : *Je viens de voir passer une bombe.* Elle le cherche, à droite, à gauche. Est-il déjà parti ? Non, pas possible ! Pas juste... Ah ! Le voilà, près du bar. Soupir de soulagement.

Elle le fixe. Il doit avoir trente-cinq ans. Pas d'alliance. Que fait-il dans la vie ? Qui est-il ? Il porte une veste noire, un jean noir. Il tient un Blackberry à la main. Malgré le nombre de gens qui évoluent autour d'elle, elle ne voit que lui. Elle n'entend même plus la musique, les voix, les éclats de rire. Il range le Blackberry dans la poche de sa veste, et se retourne. Il n'est pas très loin. Elle remarque des yeux clairs. Il croise son regard une fraction de seconde. Rien de plus. Le cœur de Lola s'emballe.

« Ferme ta bouche, chérie », chuchote une voix féminine à côté d'elle. Elle se retourne vivement et voit son amie Aline qui la toise d'un œil moqueur. Elle rougit. Heureusement qu'il fait sombre.

« Tu le connais ? demande-t-elle à Aline.

— Oui, c'est Frédéric Michel.

— Qui ? »

Avant qu'elle puisse en savoir plus, Aline est déjà partie, happée par un invité. Frédéric Michel. Cela ne lui dit rien. Elle pianote sur son iPhone. Google lui en débusque cinq. Aucun ne correspond à l'homme qu'elle convoite. Sur Facebook, trois profils à ce nom. Ce sont des profils privés, les photos ne s'affichent pas. Elle leur envoie à tous une *friend request*, en mettant dans sa demande « Velvet Night ».

Frédéric Michel, toujours accoudé au bar, est à nouveau plongé dans l'observation de son portable. C'est marrant, se dit-elle, les accros du Blackberry se servent de leurs pouces et les fans de l'iPhone, de leur index. Il sourit. Que lit-il ? Un SMS ? Un mail ? D'une femme ? Sûrement. On ne sourit comme ça qu'à une femme. Il est épouvantablement attirant. Elle se délecte de la ligne puissante de son cou, de ses épaules. Il a des mains fines pour un type aussi costaud.

Tout à coup il lève les yeux et regarde droit vers elle à nouveau. Elle se fige. Comment avoir l'air jolie, intelligente, branchée ? Comment être irrésistible ? Les yeux clairs de Frédéric Michel la détaillent lentement. Il sourit toujours. Elle a du mal à respirer. C'est comme si elle était nue devant lui. Puis c'est fini, un type passe devant, une femme, elle ne le voit plus. Merde, se dit-elle. Merde, merde, merde.

Mais sur son iPhone, une divine surprise l'attend. Un des Frédéric Michel a accepté sa demande d'ami et a même écrit sur son mur. *Jolie robe*. Elle manque de défaillir. La photo du profil montre un mec de dos. La carrure, la nuque. C'est lui. C'est forcément lui. Voilà ce qu'il était en train de faire sur son Blackberry, lui répondre. Heureusement qu'elle avait mis une jolie photo de profil. Et elle, ce soir, sur son mur, dans sa belle robe, comme ça, il a pu faire le lien. Oh, c'est énorme. Elle n'en revient pas. Elle glousse comme une petite fille. Elle tente de le voir à travers le groupe de personnes parquées devant lui. Elle aperçoit juste le haut de sa tête.

Elle se sent belle, audacieuse. Un type lui parle, lui demande quelque chose, elle ne répond même pas. Elle sait ce qu'elle veut faire. Ce qu'elle doit faire. Sur le mur de Frédéric Michel, elle écrit : *Vous n'êtes pas mal, non plus, ce soir.* Et en message privé, elle lui envoie son numéro.

L'iPhone réagit tout de suite. Un SMS. *Vous restez à Velvet Night combien de temps ?* C'est assez direct comme approche. Elle décide de l'être encore plus. *Ça dépend de vous.* La réponse ne tarde pas. *On se retrouve chez vous ?* Elle glapit. Ça va à une vitesse ! Sa couette Snoopy, son canapé-lit, ses chaussettes qui traînent… Pas possible. Elle ne sait pas quoi répondre. Ses doigts tremblent. Un autre SMS arrive. *Vous êtes belle. Cette robe vous va à merveille.* Elle répond : *Merci…* C'est d'un plat ! Elle se sent gauche, maladroite. Que ferait une femme fatale ? Une séductrice ? Elle embraie. *Et chez vous, c'est possible ?* La réponse fuse :

Il y a ma femme. Aïe. Il se manifeste au bout de cinq minutes interminables. *Je connais un bar sympa, dans le coin. Je peux vous y retrouver dans dix minutes.* Elle respire un grand coup. Dans sa tête, elle entend la voix de sa mère, mais tu es folle, chérie, tu ne le connais même pas, vous ne vous êtes même pas parlé, et tu vas le retrouver dans un bar ? Pauvre maman, elle n'y comprenait rien, comme la plupart des gens nés dans les années 1960. Elle ne comprenait rien à Facebook, aux amitiés et aux amours qu'on pouvait se tisser sur la Toile. *Très bien. L'adresse ?* Il l'envoie. C'est tout près, même pas besoin de prendre le métro.

Lola file vers les toilettes, se refait une beauté, le souffle court. Elle meurt d'envie de mettre dans son statut qu'elle a rendez-vous avec le plus beau mec de la soirée, mais elle se retient. Avec difficulté. Tandis qu'elle quitte les lieux, d'autres SMS arrivent de lui. Ils sont de plus en plus directs. *J'imagine que sous cette robe, c'est encore plus joli.* Elle se mord les lèvres. *Tu portes quoi comme dessous ? Dis-moi ?* Dehors il fait lourd. Beaucoup de monde sur le trottoir, en train de fumer. Elle s'arrête pour lui répondre qu'elle porte de la lingerie noire et rouge. *J'ai très envie de toi, Lola.* Elle porte une main nerveuse à ses lèvres. Elle se sent dépassée par les événements, presque tétanisée, mais grisée, aussi. Jamais elle n'aura vécu une aventure pareille. *Ta peau, ta bouche… J'ai hâte…* Elle se presse. N'est-elle pas devenue folle ? Que va-t-elle faire avec ce mec ? *Tu es fraîche et jolie, tu es très désirable.* Elle n'a même pas de capote sur elle. C'est n'importe quoi. C'est du délire. *Rien que de penser à toi qui viens vers moi, ça m'excite.* Mais elle ne réfléchit plus. Elle sent une excitation étrange et nouvelle l'envahir, comme une espèce de drogue. Elle a envie de se donner à cet inconnu. Un vrai mec. Trente-cinq ans. Pas comme ces minets de la fac qui ont des peaux laiteuses et des mèches qui leur tombent sur les yeux.

La nuit arrive, petit à petit, bleutée. Elle vérifie la localisation du bar sur son iPhone. Huit minutes à pied. Le chemin est tracé sur son écran. Elle avance tant bien que mal sur ses talons. Le bar est cosy, feutré, des actrices donnent leurs rendez-vous là pour des interviews. Elle a lu ça dans des magazines. Ce soir, l'endroit est assez vide, le calme règne. Des bougies parfumées brillent çà et là. Un serveur vêtu de blanc la salue. Une musique lounge se fait entendre. *Monte au premier étage.* Elle obéit. Un long couloir vieux rose. *Rentre dans les toilettes pour femmes, il n'y a personne.* La lumière est tamisée, encore des bougies. Ses talons claquent sur le carrelage. *Ouvre la porte de droite, attends-moi.* Elle fait ce qu'il lui demande. *Assieds-toi.* Elle obéit. Son cœur bat à tout rompre. Elle entend des pas, puis la lumière s'éteint. Elle est dans le noir. Seul l'écran de son iPhone brille. Elle le pose à ses pieds. La porte s'ouvre, une silhouette se dessine. Elle ne voit rien. Il est là. Elle reste assise. Des mains d'homme attrapent ses épaules, son cou. Elle est à la fois excitée et terrifiée. Une odeur de cuir et de menthe, une odeur qu'elle ne connaît pas. Elle entend son souffle. Il ne dit rien. Elle non plus. Il déboutonne le haut sa robe, caresse ses seins. Il a des gestes très précis. Il la redresse, la retourne, se plaque contre elle. Elle a les paumes sur le mur. Ça va se dérouler très vite, elle le sent. Encore la voix de sa mère, tu es folle, Lola, te faire prendre par un inconnu, dans les toilettes d'un bar, j'ai honte pour toi, j'ai peur pour toi…

Elle ferme les yeux, elle respire mal, elle ne se sent plus très bien. Ses mains à lui remontent le

long de ses cuisses, retroussent sa robe… Tout
à coup, il ne se passe plus rien. Un flottement.
Une hésitation.

Elle ne comprend pas. Elle n'ose plus respirer.
Elle n'ose plus bouger. Les secondes s'écoulent.
Frédéric Michel ne la touche plus, il s'éloigne
d'elle. Pourquoi ? Pourquoi ? Elle est mortifiée.
Elle veut se retourner, mais c'est trop gênant, ce
lieu, la cuvette des toilettes devant elle, tout.

Il s'en va. Sans un mot. La porte claque.
Elle est seule. Elle reboutonne sa robe, essaie
de se recoiffer. Elle a une de ces têtes ! Mon
Dieu, quel fiasco… Qu'est-ce qu'il lui a pris,
à ce type ? Son portable bipe. Un SMS. Lui ?
Non, sa copine Vanessa. *Mais t'es dingue ou
quoi ???* Lola lui envoie un point d'interroga-
tion en retour. Puis un doute l'étreint. Sur sa
page Facebook, ce qu'elle découvre lui arrache
un cri. Une photo d'elle, épouvantable, de dos,
à moitié nue, les mains collées contre le mur,
devant les toilettes. On voit un côté de son
visage. On la reconnaît parfaitement. La robe
bleue est remontée sur ses cuisses, découvre ses
fesses, son string noir et rouge.

Une photo taguée par Frédéric Michel. *Lola
Clément. Chair fraîche après Velvet Night.*

Elle se sent défaillir. Elle détague la photo, mais elle sait qu'elle n'a aucun moyen de l'effacer. Tout le monde est en train de la voir, tout le monde est en train de la faire circuler de mur à mur. Mais comment est-ce qu'elle a pu être aussi bête ? Elle en pleurerait de rage. Faut-il lui envoyer un SMS d'insulte, à ce Frédéric Michel ? Lui ordonner de retirer la photo ?

Lentement, elle retourne à la soirée. Elle a du mal à marcher, ses jambes sont lourdes, sa tête lui fait mal. Il est peut-être encore là. Elle trouverait bien un moyen de lui parler, de s'arranger avec lui. Il finirait par enlever cette horrible photo. Il le ferait, non ?

Il y a moins de monde à cette heure-ci. Elle a beau chercher, elle ne le voit plus. Il a dû partir directement. Aline remarque son visage marqué, lui demande ce qui lui arrive.

« Ce mec, là, ce type de tout à l'heure, tu le connais bien ? »

Aline fronce les sourcils.

« Le beau gosse ?

— Oui, Frédéric Michel, c'est ça ?

— Ah, non, je me suis plantée, il s'appelle en fait Frédéric Thierry. Il est parti… Mais qu'est-ce que t'as ? »

LA MÉTHODE « K »

La clef glisse dans la serrure, et la porte s'ouvre sans un bruit, dans un mouvement lent et bien huilé. Élise entre dans le vestibule, referme le battant derrière elle. Une odeur légère. Quelque chose de fleuri. De frais. Mais elle ne se laisse pas déconcentrer. Les consignes qui lui ont été données sont précises. Elle doit les respecter à la lettre. Poser manteau et chaussures dans le petit vestiaire, enfiler la blouse blanche et les chaussons blancs qui s'y trouvent. Elle s'applique en se hâtant. Elle n'a qu'une heure, et tout doit être parfait. Elle pénètre enfin dans la grande pièce baignée de soleil. Un décor dix-huitième, pur jus Marie-Antoinette, inattendu dans un endroit aussi moderne. Un haut lit à baldaquin aux draps de lin froissés. Une coiffeuse, un bonheur-du-jour, des fauteuils bergère. De longs rideaux de soie mordorée laissent entrer le soleil. Le parfum s'accentue. L'odeur de la rose. Élise se rend dans la salle de bains attenante. Là, c'est un monde moderne et épuré. Une grande baignoire ronde couleur perle. Un jeu de miroirs tamisés. Une douche sophistiquée derrière une porte vitrée. D'épaisses serviettes blanches jonchent le sol.

Les produits d'entretien se trouvent dans un petit chariot laissé à son intention. La liste des tâches est précise. Commencer par passer l'aspirateur, ensuite faire la poussière, puis changer les draps, nettoyer la salle de bains. Le parquet est lisse et ancien, récupéré certainement d'une vieille maison. Il grince, comme dans une ancienne demeure. Et dire qu'elle se trouve dans une tour moderne ! Elle ne peut s'empêcher de sourire tandis qu'elle passe l'aspirateur machinalement. La cheminée, elle aussi, doit provenir d'un manoir, d'un château. Elle regarde les photographies posées entre deux bougeoirs en argent massif. Une femme brune, d'une trentaine d'années, les yeux très bleus. Sa peau est d'une blancheur éclatante, ses lèvres très rouges. Elle porte une robe noire, corsetée, des gants de velours. Sa taille est minuscule, comme celles des actrices des années 40. Elle est belle. Élise se demande si c'est la maîtresse des lieux.

Elle change le lit. Les draps sont épais et lourds. Froissés de partout. Elle y trouve de longs cheveux noirs. Des traces de rouge à lèvres et d'autres taches, aussi. L'odeur de la rose est plus tenace, plus animale. Mélangée à autre chose, un parfum musqué, charnel. Tandis qu'elle plie les draps pour les ranger, elle pense à ce qui a dû se passer récemment dans ce grand lit. Le corps de la femme en noir, aux yeux bleus. Et c'est une scène étonnamment sexuelle qui lui vient à l'esprit. Pas un couple alangui dans une étreinte classique et amoureuse. Non. Elle voit la femme brune, les reins cambrés, qui chevauche un homme sans visage. Des fesses divinement rondes, presque obscènes tant elles sont rondes, sphériques, des fesses lisses et blanches, terriblement appétissantes, qui montent et qui descendent frénétiquement. Élise se reprend, se concentre sur les draps propres qu'elle lisse méthodiquement. Elle remet en place la couverture du lit, une splendeur damassée, pourpre et noire, d'un autre temps. Sous la couverture, elle trouve une série de vêtements. De la lingerie, des bouts de tissus de rien du tout, noirs et violets, incrustés de pierres brillantes.

Elle les porte à son nez. La rose. Le musc. Et des odeurs corporelles, intimes. Le trouble, à nouveau. Si longtemps qu'elle n'a pas senti ces exhalaisons-là, celles du corps, du plaisir. Comme si son corps à elle s'était cadenassé. Défense d'entrer. Un corps métro-boulot-dodo. Dans la salle de bains, elle trouve encore de la lingerie près des serviettes. Des corsets, des guêpières, des bas. Tout un attirail vaporeux de féminité. Cela ne l'a jamais intéressée, la lingerie. Pas son truc. Et puis c'est cliché, ces frous-frous, ces harnachements, des déguisements pour cocotte, pour poule de luxe. Pas pour des femmes modernes. Mais en rangeant les affaires dans les grands placards de la chambre, elle en découvre encore et encore, des rayonnages entiers de bas résille, balconnets, jarretelles, dentelles, combinaisons, peignoirs diaphanes, tulles, velours, soies, satins, plumes, étoles, paillettes, fanfreluches. Ses doigts parcourent les tiroirs, touchent, explorent. Elle pense encore une fois au corps de la femme brune. Sa taille rendue minuscule par les laçages. Les hanches qui se déploient, blanches et majestueuses. La peau nue et laiteuse sous les transparences savantes.

Comment serait-elle, elle, Élise, dans un tel attirail ? Elle brûle d'essayer. Et si elle osait ? Un coup d'œil à sa montre. Ni vu ni connu. Pourquoi pas ? Il n'y a personne. Un frisson la parcourt de la tête aux pieds. Elle se précipite pour nettoyer la baignoire, la douche, ranger les serviettes. Il lui reste encore dix bonnes minutes. Vite, déboutonner sa blouse blanche, fébrile, ôter le triste soutien-gorge beige, le slip terne, qui a vu trop de lavages. Son corps est timide, recroquevillé sur lui-même. Vite, se glisser dans une combinaison rouge avec jarretelles incorporées. Dieu que c'est long à mettre, une foule de minuscules attaches. Puis les bas, quel enfer ! Les coutures derrière ne sont pas droites. Tant pis. Les escarpins à talons aiguilles, rouge aussi. À peine trop petits. Elle est sur le point de s'admirer dans la glace lorsque la sonnette d'entrée retentit. Elle se fige sur place, le cœur dans la gorge. Mais qui cela peut-il bien être ? La jeune femme brune qui revient plus tôt que prévu ? Comment expliquer sa tenue ? Elle se fera renvoyer, c'est certain. Son visage devient chaud. Une deuxième sonnerie. Élise attrape la blouse blanche, l'enfile, envoie valser les escarpins, remet ses chaussons, et court ouvrir, hors d'haleine, en prenant soin de prendre un torchon et un produit d'entretien. C'est une femme entre deux âges qui se tient sur le palier, le visage sévère, vêtue d'un tailleur noir. De longs cheveux argentés, des yeux clairs soulignés de khôl. Elle tient une liste à la main. Ses yeux balaient la pièce derrière Élise. « Vous en êtes où ? » demande-t-elle d'une voix ferme. Élise sent son cœur battre très fort. « J'ai presque terminé », balbutie-t-elle. La femme en noir hoche la tête, ne la regarde même pas et note quelque chose sur sa liste. Puis elle s'en va. Élise referme la porte, pousse un soupir de soulagement. Elle retourne à la salle de bains, s'apprête à enlever la combinaison rouge. Mais elle veut se regarder d'abord. Elle déboutonne la blouse blanche. Elle remet les escarpins vertigineux. Elle lève les yeux vers le miroir. Et, là, apparaît une créature qu'elle ne connaît pas. Une femme au corps insensé, rond et rose, appétissant, pulpeux, aux jambes d'une longueur interminable. Elle s'approche, sonnée, incrédule. Mais non, c'est bien elle, Élise, tentatrice de rouge vêtue, les seins qui débordent de la dentelle écarlate, les hanches tout en courbes, la taille étranglée. Cliché ? Et alors ? Oui, cliché, mais elle s'en moque, jamais elle ne s'est vue si séduisante, si spectaculaire. Elle pose devant la glace, fait la moue, laisse traîner ses mains sur ses cuisses, sur sa poitrine. Fous rires, mais le trouble renaît de plus belle, le même que devant le lit tout à l'heure, vite, vite, un désir cru, tout-puissant, qui monte en elle et la saisit violemment. À peine besoin de se toucher, à peine une caresse, et la vague immense est là, précise et douloureuse comme une crampe, puis elle s'estompe en l'irradiant d'une chaleur délicieuse. Sept secondes d'extase.

Élise ouvre les yeux, éberluée. Le plafond est vert, parsemé de spots. Elle est allongée sur un divan, le corps entièrement recouvert d'une combinaison à capteurs. Autour d'elle, une cabine verte. Pendant un instant de panique, elle ne comprend pas où elle est. Puis la porte s'ouvre, et la femme aux cheveux gris entre en la regardant avec bienveillance. « C'est formidable, vous avez atteint l'orgasme en à peine huit minutes ! D'habitude, le programme « reboosteur » de libido marche plus lentement. Avec vous, on n'a pas eu besoin de faire naître d'autres éléments tels que la vidéo explicite ou les photos érotiques. À la prochaine séance, nous allons pouvoir passer à quelque chose de plus épicé. »

Élise sourit, le souffle encore court. Elle s'était inscrite sur le site « methodek.com » sans espérer de tels résultats. Elle ne voulait pas essayer de médicaments agressifs et dangereux. La méthode K la tentait, malgré son prix élevé. Plus tard, Élise fait le point avec le docteur aux cheveux argentés dans un bureau ultramoderne. Un écran immense s'étale le long du mur.

« Votre libido est maintenant parfaitement réveillée et il suffit de passer un nouveau palier, annonce le docteur. Regardez les images. Je vous propose une séductrice en Harley Davidson, toute de cuir vêtue, mais très féminine. Elle plaît autant aux hommes qu'aux femmes. Nous avons un taux de réussite excellent. C'est la méthode "Angèle". »

CONSTAT D'ADULTÈRE

Constat d'adultère a fait l'objet d'une première parution en 2012 dans *Marie Claire*.

Paris, le 15 juillet 2012

Monsieur,

Nous sommes à présent en mesure de vous fournir le dossier complet concernant votre épouse. Comme vous le savez, ce dossier a été long et compliqué à mener. Nous avons dû nous montrer patients. Étant donné que vous ne souhaitiez pas recevoir ces informations par courriel, nous vous envoyons donc ce pli à votre intention, comme convenu, à l'hôtel Gritti, à Venise, par Federal Express.

Vous avez voulu, dès le départ, que nous nous montrions précis sur les lieux, les tenues vestimentaires de votre épouse, et les actes sexuels avec la personne en question. Pour ce faire, nous avons dû mandater plusieurs agents, ce qui explique la note plus élevée que prévu concernant la somme finale de cette opération.

Vous n'aviez pas non plus souhaité voir de photographies de votre épouse et du monsieur en question. (Dorénavant, nous le nommerons Monsieur X, même si son identité et son âge – quinze ans de moins que votre femme – vous ont déjà été dévoilés dans notre précédent courrier. Tout ceci en concordance avec les obligations de confidentialité auxquelles vous êtes tenu par votre notoriété et vos fonctions à l'Académie.)

Vous avez souhaité être informé de l'adultère de votre épouse par le biais des mots et non des images, ce qui, encore une fois, n'est pas une pratique habituelle. La plupart de nos clients préfèrent des preuves en images. C'est pour cette raison également que ce dossier, par rapport à ceux qui nous sont généralement confiés, a été plus minutieux à établir.

Avant d'entrer dans le vif du sujet, nous souhaiterions vous expliquer comment nous avons travaillé. Un agent a pu à la fois intercepter les courriels de votre épouse, ainsi que les SMS provenant de son téléphone mobile.

Ces éléments nous ont permis de dérouler le fil des rencontres qui ont eu lieu entre votre épouse et Monsieur X. Un autre agent fut en charge de la filature de votre épouse. Un dernier agent a servi pour les infiltrations sur place lors des rencontres afin de mieux appréhender les situations dans le but de les analyser. Ce dernier agent, hautement compétent en technologie digitale, est capable de se connecter aux caméras de surveillance via Internet ainsi que d'installer des minicaméras sous les portes et devant les fenêtres.

Pour votre information, il y a eu dix rencontres en tout. Toutes ont été accompagnées d'un acte sexuel, sauf la première (rencontre) et la neuvième (dispute).

Nous vous proposons de prendre connaissance du dossier par ordre chronologique. Nous nous permettons de vous rappeler que certains textes provenant des SMS et des courriels sont dans un langage cru, voire ordurier, qui ne fait pas partie de notre vocabulaire habituel.

Nous avons jugé propice d'inclure ces mots afin que vous puissiez constater par vous-même la nature exacte des rapports entre Monsieur X et votre épouse. Nous les avons cependant

177

censurés en laissant seulement apparaître la première lettre.

1) Le 12 juillet 2009, restaurant B..., rue de la P..., Paris XVIe.

C'est le jour de la rencontre de votre épouse avec Monsieur X, d'après nos informations et nos calculs. Votre épouse déjeunait avec son amie Armelle D. Lors du café, un ami d'Armelle D. est venu la saluer. Monsieur X se trouvait avec lui. Ils ont pris un café, tous ensemble, au restaurant, pendant une demi-heure. D'après nos informations, il ne s'est rien passé ce jour-là, mais nous pouvons supputer qu'il y a eu un échange de regards, un trouble. On peut aussi envisager que Monsieur X a voulu en savoir plus sur votre épouse, car c'est lui qui a demandé son numéro de portable par son ami, qui s'est empressé de l'obtenir par le biais d'Armelle D.

Pendant trois mois, de juillet 2009 à septembre 2009, Monsieur X et votre épouse ont échangé des SMS. Vous étiez à l'époque en tournée aux USA pour la sortie américaine de votre roman *La Révérence de l'Albatros*.

Il s'avère que votre épouse a archivé tous les courriels provenant de Monsieur X et qu'elle a gardé tous ses SMS sur son portable. Nous avons donc pu constater qu'au début de leur relation, votre épouse et Monsieur X s'écrivaient des SMS d'une certaine banalité, qui racontaient leurs vacances, un film vu au cinéma, un fait divers, etc.

C'est en septembre 2009 que les choses ont pris une autre tournure. Nous devons vous préciser également que votre épouse et Monsieur X ne s'étaient pas revus depuis le restaurant de la rue de la P…, en juillet 2009.

C'est Monsieur X qui a pris les devants. Ses SMS sont devenus plus directs. Les deux persistaient à se vouvoyer alors que leurs propos devenaient plus intimes.

Quelques exemples :

M. X : *Que faites-vous, là, maintenant ?*
Votre épouse : *Je prends mon bain.*
M. X : *Vous êtes donc nue.*
Votre épouse : *Oui.*
M. X : *Cette nouvelle m'empêche de me concentrer sur quoi que ce soit d'autre. Je ne pense qu'à vous, nue.*

179

Votre épouse : *Et vous pensez à quoi, exactement ?*

M. X : *Je pense à ce que je pourrais vous faire, très précisément, si j'étais à côté de vous, maintenant.*

Votre épouse : *Soyez plus concret.*

M. X : *Je glisserais la main dans l'eau pour vous caresser.*

Votre épouse : *Et puis ?*

M. X : *Je vous ferais jouir avec mes doigts.*

Autre exemple :

M. X : *Je me suis réveillé très excité. Vous en êtes la cause.*

Votre épouse : *Pourquoi donc ?*

M. X : *Toute la nuit, j'ai pensé à votre bouche.*

Votre épouse : *Et que faisait ma bouche, je vous prie ?*

M. X : *Votre bouche, délicieusement humide, terriblement chaude, s'enveloppait autour de ma bxxx.*

Votre épouse : *Oui, je vois tout à fait. Je comprends pourquoi vous êtes dans un tel état. J'ai terriblement envie de vous sxxxx. Vous le savez, n'est-ce pas ?*

M. X : *Oui, je le sais. Je l'ai su dès que je vous ai vue, pour la première fois. Il y avait cette expression dans vos yeux. On le devine tout de suite, ce genre de chose. Une femme qui aime faire les PXXXX. Et qui fait cela bien. Ça se voit.*

Pendant tout le mois de septembre 2009, votre épouse a échangé des SMS de cette nature avec Monsieur X, sans le voir.

2) Le 21 octobre 2009, votre épouse s'est rendue chez Monsieur X. Celui-ci habite rue B…, dans le IIIe arrondissement de Paris. Elle portait un pantalon noir, des bottes hautes et noires, et un manteau gris. Elle est arrivée en taxi. Votre épouse est restée quinze minutes. Après, elle est repartie à pied, vers la République. Pour ce premier rendez-vous, nous n'avons pas pu nous infiltrer chez Monsieur X. Mais suivant la teneur des SMS échangés dès le départ de votre épouse, nous pouvons supputer qu'il y a eu un premier acte sexuel. Il s'agit certainement d'une fellation puisque votre épouse a écrit le SMS suivant : *Ton fXXXXX a très bon goût. Ce n'est pas le cas de tous les hommes.* (Nota Bene :

Vous remarquerez que le vouvoiement n'est plus de rigueur.)

Nous devons préciser que c'est à ce moment que vous avez fait appel à nos services. Votre épouse avait laissé son téléphone portable dans la salle de bains. Vous y avez lu quelques SMS. Nous n'allons pas entrer dans les détails. Vous nous avez demandé d'en savoir plus. Assez rapidement, nous avons été en mesure de vous dévoiler l'identité de Monsieur X, son état civil, son adresse, sa profession. Puis nous avons été mandatés par vous pour continuer la surveillance.

Il est important de rappeler que vous vouliez suivre le déroulement de cette histoire, sans intervenir.

Nous avons jugé bon de reproduire ici la lettre que vous nous avez adressée en novembre 2009 :

Paris, le 16 novembre 2009

Monsieur,

Suite à notre conversation téléphonique, je vous confirme que je souhaite faire établir un dossier complet concernant mon épouse, Mme C. H., nom de jeune fille V., demeurant avenue M… dans le VIIIe, profession attachée de presse.

Je vous demande la plus grande discrétion dans cette affaire. Je pense que vous avez noté mon patronyme, et que je n'ai pas besoin de vous expliquer pourquoi cette discrétion m'est indispensable. De surcroît, il s'agit de mon épouse, avec qui je suis marié depuis bientôt quinze ans.

Je refuse de voir toute photographie, surtout, ne les envoyez pas. Ce sont les mots que je vous demande, pas les images.

N'oubliez pas de ne jamais me contacter par courriel, ni sur mon téléphone portable auquel je ne réponds jamais.

Uniquement par voie postale à l'adresse qui se trouve sur le dos de l'enveloppe.

Cordialement.

M. H.

(Nota Bene : Nous avons scrupuleusement respecté vos ordres. Il n'y a aucune photographie dans ce dossier. Nous allons tenter à présent de vous décrire les scènes qui suivent de la manière la plus détachée possible, comme s'il s'agissait d'un constat de dégât des eaux, d'un accident de la circulation, ou d'un rapport de police après une effraction ou un délit. Nous utiliserons les mots les plus neutres possibles, sans superlatifs. Nous espérons que cet effort vous donnera entière satisfaction.)

3) Le 28 novembre 2009, pendant que vous étiez à Stockholm pour une conférence littéraire, votre épouse a réservé une chambre à l'hôtel L… boulevard R… La réservation a été faite sous le nom de la meilleure amie de votre épouse, Véronique B. (qui était au courant, d'après les échanges de courriels entre les deux).

Votre épouse est arrivée vers 15 heures. Nous avions pu installer le matériel dans la chambre avant son arrivée, grâce à notre quatrième agent. La scène s'est déroulée de la façon suivante. Votre épouse s'est changée. Elle a mis de la lingerie noire et des escarpins à talons hauts. Monsieur X est arrivé peu de temps après. Il portait un blouson en cuir noir, un pull gris, un jean, et des tennis. Il ne s'est pas déshabillé.

Il n'y a pas eu de conversation. Monsieur X a allongé votre épouse sur le lit et a pratiqué une caresse sexuelle buccale. Il semblerait que votre femme a eu un orgasme. Ensuite, il a retourné

votre épouse, il a baissé son jean, et l'a pénétrée par-derrière, après avoir mis un préservatif. Ce fut une copulation violente. Votre femme
a crié, Monsieur X également. Puis ils ont pris
une douche. (Sous la douche, il y a eu un autre
acte sexuel, mais nous n'avons pas pu déterminer lequel.) Puis Monsieur X est parti. Le tout a
duré quarante-cinq minutes.

Pendant un long moment, c'est-à-dire presque dix mois, votre épouse et Monsieur X ne se
sont pas vus. Il a eu des soucis professionnels,
et votre fils cadet s'est cassé la jambe au ski en
février 2010, ce qui fait que votre épouse était
moins disponible. Néanmoins, les échanges de
SMS ont continué.

Étant donné que vous ne souhaitez pas voir
d'images, nous ne pouvons donc pas vous montrer les photographies que Monsieur X et votre
épouse se sont envoyées pendant cette période,
mais nous pouvons vous les décrire.

Votre épouse a envoyé plusieurs photographies de son corps dénudé, dans le bain,
devant la glace, ou sur son (votre) lit. Ce sont
des images explicites de son intimité. On
n'aperçoit pas son visage, seulement des gros
plans de ses seins, ses fesses, son ventre, ses

cuisses et son sexe. Quant aux images envoyées par Monsieur X, on y voit son sexe en érection. Ces images varient peu, mais votre épouse les a toutes gardées.

(Nota Bene : Nous ne jugeons pas nécessaire de vous décrire le sexe de Monsieur X. Monsieur X a également envoyé un court film de lui en train de se masturber, que nous ne jugeons pas nécessaire de décrire, non plus.)

4) Le 14 octobre 2010, votre épouse et Monsieur X se sont vus dans un parking. D'après nos informations, ce fut une rencontre de dernière minute, pas planifiée. Le parking se situe rue de C…, dans le IXe. Nous n'avons donc pas pu être sur place au moment de l'acte, car même si votre épouse était suivie par un des agents, il n'a pas pu accéder au parking, qui était privé.

La rencontre a duré vingt minutes. Votre épouse est arrivée au volant de sa BMW noire, et Monsieur X, sur un scooter. Monsieur X portait une veste noire et un jean. Votre épouse portait une veste en daim et un chemisier blanc. (Nota Bene : Nous n'avons pas pu voir si elle portait une jupe ou un pantalon, car elle était en voiture, mais nous penchons pour une jupe.)

Quand votre épouse est entrée dans le parking, elle avait les cheveux attachés. Quand elle en est sortie, ils étaient libres, et ébouriffés.

Nous pouvons croire qu'il s'agit d'une caresse sexuelle buccale, car le prochain SMS de votre épouse était explicite. Le voici : *Quelle langue ! Oh, ta langue. Tu es diabolique. Je ronronne de plaisir.*

Réponse tout aussi claire de Monsieur X :

Tout le plaisir fut pour moi. J'adore te faire jouir de cette façon, écouter tes gémissements, savoir qu'on risque de nous voir, que c'est dangereux, tu ne peux pas imaginer ce que cela m'excite.

Votre épouse : *La prochaine fois, c'est à mon tour de te faire jouir.*

Réponse de Monsieur X : *Rien que de te lire, je bxxxx à nouveau.*

Pendant quatre mois, Monsieur X et votre épouse ne se sont pas vus car elle vous a accompagné lors de vos conférences en Australie, puis en Asie. Elle n'a pas eu beaucoup d'échanges avec Monsieur X pendant cette période. Mais nous avons pu intercepter un courriel adressé à sa meilleure amie, Véronique B., qui nous semble important. En voici un copier-coller :

Ma chérie, nous sommes depuis quelques jours à Sydney. M. est infatigable, comme d'habitude. Pour son âge, il est assez extraordinaire, je l'avoue. Ses lecteurs l'adorent. Mais quelle idée d'avoir épousé un homme qui a quinze ans de plus que moi. Tu m'avais prévenue, ma chérie, quand nous nous sommes fiancés. Tu m'avais dit que j'allais me retrouver un jour avec un vieux. Et c'est hélas vrai. Car malgré son dynamisme, son intelligence, son charisme, ses incroyables yeux, il est devenu un vieux monsieur. C'est cruel, je le sais. Je ne devrais même pas écrire des choses pareilles. Il m'a donné ce fils superbe, que j'aime plus que tout. Mais toi, tu me connais, depuis nos seize ans. Tu me connais si bien.

Comment résister à X ? Un homme fait pour le sexe, je dis bien le sexe, pas l'amour. Je dis le sexe. Un homme qui n'a qu'une idée en tête, me faire jouir. Me donner du plaisir. Quand il me prend, c'est comme un ouragan. C'est d'une violence tellement sensuelle que rien que d'y penser, je frémis de la tête aux pieds. Je sais, c'est bien futile tout cela. C'est bien égoïste de ma part. X débarque dans ma vie pile à ce moment fragile où je me sens vieillir, où je passe ce fameux cap que nous redoutons toutes.

Comment résister ? Il est grand, brun, costaud, avec des yeux clairs, presque dorés. Ses cheveux sont courts. Ses épaules carrées. Il a les dents du bonheur. Son regard est piquant, insolent, mais tendre aussi. Ses mains sont douces, ses doigts longs. Sa peau est brune, lisse. Quelques poils sur le bas-ventre. Il est jeune. Oui, si jeune.

Je sens qu'avec M., j'ai déjà un pied dans la tombe. Je t'entends d'ici. Cliché ? Sûrement. Banal ? Hélas. Oui, oui, tu as raison. Mais on n'a qu'une vie, n'est-ce pas ? J'ai décidé d'en profiter. Je fais attention. Ne t'inquiète pas. Je ne le vois pas si souvent que ça. M. ne se doutera de rien. Je ne suis pas amoureuse. Ce n'est pas ça du tout. Je suis sous influence. Je suis « accro ». Voilà la différence. Est-ce pire ? Peut-être. Nous ne nous parlons jamais. Je ne sais rien de lui, de sa vie, de son passé, de son boulot. Absolument rien. Je ne connais pas ses goûts, son histoire, ni où il est né, où il a fait ses études, s'il a voyagé. Je ne sais pas pour qui il vote, si une femme lui a brisé le cœur, quelle est sa couleur préférée, son film culte, s'il a peur de quelque chose ou de quelqu'un. Je ne connais pas la date de son anniversaire, ni son signe astrologique. Nous n'avons pas de conversations. Nous n'avons jamais pris un repas ensemble. Je ne connais pas sa démarche. Je connais à peine sa voix. Je n'entends que ses râles, ses gémissements. Il y a juste les SMS, les photos, et des mails. Et puis, quand on se voit, ses mains sur moi. Sa bouche. Son sexe…

Je t'embrasse, ma chérie. Ne me juge pas. Comprends-moi.

C.

5) Le 2 février 2011. Votre épouse et Monsieur X se sont revus à l'hôtel L…, rue D…, dans le XIVe arrondissement. Votre épouse a réservé la chambre sous son nom de jeune fille. Elle est arrivée vers midi avec un bonnet de laine et une grosse parka. Vous étiez ce jour-là à Versailles pour une rencontre avec des lycéens, puis à l'Académie. Nous avons pu suivre les ébats grâce aux caméras installées dans la chambre par notre agent. Votre épouse était nue, à part de hauts talons. Elle attendait sur le lit, assise, le dos tourné vers la porte. La lumière était tamisée, les rideaux tirés. Une musique jouait, provenant de l'iPod de votre épouse branché sur une enceinte.

Quand Monsieur X est arrivé, il n'a rien dit. Il s'est déshabillé en silence. Votre épouse ne s'est pas retournée. Il s'est positionné derrière elle, il a embrassé son dos, ses hanches, puis il l'a mise à quatre pattes sur le lit, et il a léché son postérieur,

et son sexe. Votre épouse gémissait. Monsieur X
a ensuite pénétré votre femme, après avoir enfilé
un préservatif. Nous pouvons vous confirmer
qu'il y a eu une pénétration vaginale, puis une
pénétration anale. Ce fut une copulation fréné-
tique. Pendant toute la durée de l'acte (trente
minutes, préliminaires compris), Monsieur X et
votre épouse ne se sont pas parlé. Monsieur X
est parti en premier. Votre épouse a pris un bain,
puis elle est partie. C'est elle qui a réglé l'hôtel,
avec de l'argent liquide.

Pendant plusieurs mois, Monsieur X et votre
épouse ne se sont pas vus. Il est allé aux USA
pour son travail, et elle s'est occupée d'un lan-
cement de parfum pour le sien. Cependant,
les échanges de SMS ont continué. En voici
des exemples. (Nous ne pouvons pas tous les
lister ici, cela serait trop volumineux. Mais si
vous souhaitez les lire, nous pouvons vous les
envoyer dans un courrier séparé.)

Exemple 1 :

M. X : *Caresse-toi ce soir dans ton bain, pense
à ma main, pense à ma bouche.*

Votre épouse : *Ta bouche est une drogue. Ton
corps est une drogue. Ta bxxx est une drogue.*

191

Tiens, voilà une photo de mon cxx, rien que pour toi.

M. X : *Arrête, je suis en réunion, et tu ne peux pas imaginer ce que je bxxxx. J'ai tellement envie de toi que je pourrais t'éventrer avec ma bxxx. Tu me rends fou.*

Votre épouse : *Je n'en peux plus de ne pas te voir, de ne pas te toucher. Je veux tes mains sur moi, tes doigts dans ma cxxxxx. Je me vois, là, maintenant, sous toi, ou sur toi, qu'importe, mais pleine de toi.*

M. X : *Fais-toi jouir.*

Votre épouse : *Oui, alors appelle-moi !*

M. X : *Non, impossible, je ne suis pas seul. Quand tu jouiras, téléphone-moi, je ne prendrai pas l'appel, laisse ta jouissance sur ma messagerie, et je t'écouterai après.*

(Nota Bene : Votre épouse a effectué cette manœuvre, plusieurs fois, d'après les factures détaillées de son téléphone portable.)

Exemple 2 :

Votre épouse : *Tu dors ?*
M. X : *Non.*
Votre épouse : *Que fais-tu ?*
M. X : *Je pense à toi.*

Votre épouse : *Précise.*

M. X : *Je pense à ton corps. À ce qu'il y a entre tes cuisses.*

Votre épouse : *Sois plus concret.*

M. X : *Je pense à ce délicieux triangle rose et doré et ce que je vais lui faire la prochaine fois que je te vois.*

Votre épouse : *C'est-à-dire ?*

M. X : *C'est-à-dire ta cxxxxx. Oh, comme je l'aime, ta cxxxxx. Elle est si gourmande, si onctueuse, j'ai l'impression qu'elle va m'aspirer.*

Votre épouse : *Continue, je me caresse en te lisant.*

M. X : *Moi aussi. Pas facile de taper un SMS et de se bxxxxxx. Mais je veux bien essayer. Je disais, donc… Ta cxxxxx. Je vais d'abord commencer par l'embrasser, la humer, puis je sais exactement comment je vais titiller ce petit bouton de chair rose que tu dois être en train de tripoter en ce moment…*

Votre épouse : *Oui, oh, oui, et j'imagine que c'est ton doigt qui me touche, que c'est ta langue. J'ai horriblement envie de toi.*

M. X : *Décris-moi exactement ce que tu voudrais que je te fasse, si j'étais là. Dis-moi des mots crus, lâche-toi. Dis-moi tout.*

Votre épouse : *Mais je n'ose pas, tu es fou ou quoi !*

M. X : *Il n'y a que moi qui vais lire ces SMS, ma grande coquine. Et je te promets que je vais les effacer, je n'ai pas envie d'avoir des ennuis avec ton académicien de mari, il m'impressionne trop ! Alors vas-y. J'attends. Je suis allongé sur mon lit, nu, la bxxx à la main, et j'attends.*

Votre épouse : *J'imagine que je te donne rendez-vous dans un hôtel… Il fait très chaud… Tu es en sueur… Moi aussi… Nous avons peu de temps… Il faut faire vite…*

M. X : *Continue.*

Votre épouse : *Tu es dur… Dans un état d'excitation insensée… Nous nous attrapons comme des fauves… Tu es déjà en moi…*

M. X : *Précise. En toi où ? Dans ta bouche ? Dans ta cxxxxx ? dans ton joli cxx ?*

Votre épouse : *Oui, dans ma bouche. Tu gémis de plaisir. Tu me dis que tu vas jouir vite, tellement tu es excité.*

M. X : *Je vois tout à fait ce que tu vas faire avec cette bouche, si appétissante, je vois exactement comment tu vas t'y prendre, ma belle sxxxxx.*

6) Le 13 mai 2011, votre épouse est venue au bureau de Monsieur X, dans le XXe. Il était 13h30 et les collègues de Monsieur X étaient sortis déjeuner. Monsieur X, comme vous le savez, travaille dans une régie publicitaire. Il a un bureau fermé qui donne sur une cour intérieure. Nous n'avons pas pu accéder à ce bureau, mais notre agent, qui était posté en face, de l'autre côté de la cour, a pu suivre la nature des ébats. Votre épouse portait une robe-chemise bleue avec des sandales compensées. Elle est montée au quatrième étage. Monsieur X l'attendait devant l'ascenseur. Ils sont allés dans son bureau et il a fermé la porte. Il s'est assis sur une chaise, et votre épouse s'est assise sur lui. Ils ne se sont pas déshabillés, ni embrassés. Il a mis un préservatif, puis elle s'est empalée sur lui. Ensuite, ils se sont levés et Monsieur X a pénétré votre épouse qui était allongée sur le dos, sur le grand bureau. L'acte a duré vingt-cinq minutes en tout. Votre épouse est partie au volant de sa BMW noire.

7) Le 26 juillet 2011, votre épouse a donné rendez-vous à Monsieur X chez vous, avenue M..., dans le VIIIe. Vous étiez en vacances,

chez votre sœur, dans le Lubéron, avec votre fils, et vos grands enfants du premier mariage. Votre épouse était restée à Paris pour un dîner professionnel avec la société qui l'emploie. Ce dîner a en effet bien eu lieu, dans le quartier de l'Opéra. Votre épouse, en quittant les lieux vers minuit, a envoyé un SMS à Monsieur X. Il est arrivé en même temps qu'elle, chez vous. Votre épouse portait une longue robe lamée or, et des escarpins dorés. Monsieur X avait une veste noire, un jean noir et des chaussures noires.

Il a été impossible de suivre le déroulé de la soirée, car il est difficile de s'introduire dans votre immeuble, et il n'y a pas de vis-à-vis, car comme vous le savez, pas de cour intérieure. Néanmoins, votre épouse et Monsieur X se sont photographiés avec leurs téléphones portables, et se sont envoyé les photographies. Nous sommes en mesure de les commenter. Dans la première image, on voit Monsieur X et votre épouse dans la salle de bains. Monsieur X est debout. Il est nu. C'est lui qui prend la photo. Votre épouse (nue également) est à genoux devant lui et elle pose sa bouche sur son sexe (à lui), ou plutôt autour. Sur la seconde photographie, votre épouse et Monsieur X sont sur votre lit. C'est elle qui prend la photo. Ils sont nus. On peut voir que leurs sexes sont emboîtés. Sur la dernière photo, Monsieur X semble dormir, car il a les yeux fermés. Sa tête est posée sur la poitrine nue de votre épouse. Cette nuit-là, Monsieur X est parti vers 3 heures du matin. Votre épouse et Monsieur X ne se sont pas revus de l'été, mais ont continué avec les SMS et MMS.

En octobre 2011, votre épouse a envoyé un autre courriel à son amie Véronique B. que nous portons à votre connaissance :

Ma chérie,

Merci pour ton message. Non, je ne vais pas bien. X me manque. C'est épouvantable, ce manque de lui. Je ne pense qu'à lui, nuit et jour. Je ne sais pas quoi faire. Cela va faire un an que j'ai ce type dans la tête. Je pensais pouvoir vivre cela tranquillement, avec une certaine distance, mais je me rends compte que c'est impossible. Je pensais que c'était juste l'aventure de deux corps, une histoire de « cxx », comme on dit vulgairement, je me suis trompée. Je suis, hélas, complètement folle de mon jeune amant. Oui, tu as bien compris, je suis raide dingue amoureuse de lui. Je pense à lui, jour et nuit. Chaque fois que mon téléphone émet un son, je me précipite dessus avec l'espoir fou que cela soit lui. Car tu vois, le drame de tout ça, c'est que je ne l'ai pas vu depuis cet été, quand il est venu chez moi, pendant que M. était en vacances chez sa sœur. Nous avons continué à nous envoyer des SMS, mais je ne l'ai pas revu. Il est tout le temps en voyage, en réunion, occupé.

Je pense qu'il a une femme dans sa vie, une fille de son âge, je l'imagine très bien, cette jeune femme, une longue liane belle et sensuelle, fraîche, avec des cheveux longs, branchée, à la mode, marrante. Il doit lui faire l'amour comme un fou. Il doit la faire jouir. Il ne pense plus à moi. Je suis effondrée. Oui, je sais, ma chérie, c'est ridicule. Je sais tout cela. Mais que faire ? Tu sais que je mets un foulard sur ma tête, et je rôde en bas de chez lui, rue B… Je vois quand son scooter est là. Je me demande ce qu'il fait, avec qui il est. Je tremble. Je rêve de lui envoyer un SMS, de lui dire, je suis en bas, laisse-moi monter, dix minutes, mais je n'ose pas. Je me rends compte du vide de ma vie. Cet appartement somptueux, ce mari brillant, ce fils charmant. Tout ça ne veut plus rien dire. C'est lui, que je veux. Je veux ses bras, sa bouche, sa langue, sa peau. Lui. Comment vais-je faire ? Je deviens folle.

C.

Constat d'adultère

Votre épouse et Monsieur X ne se sont pas vus pendant trois mois. Monsieur X n'a pas non plus répondu aux SMS de votre épouse. Elle est allée plusieurs fois en bas de chez lui, avec un foulard ou un chapeau sur la tête. Elle semblait désemparée, perdue.

Le 14 novembre 2011, votre épouse a écrit un long courriel à Monsieur X, dont nous vous transmettons ici la copie :

Je sais que tu ne veux pas que je t'écrive. Mais c'est plus fort que moi. Ces mois sans toi sont insupportables. Je ne peux plus continuer comme ça, sans te voir, sans savoir ce que tu fais, où tu es. Tes SMS me manquent. Nos rendez-vous me manquent. Je me souviens de notre dernière nuit d'amour, le 26 juillet dernier, mon Dieu, déjà six mois, comment est-ce possible ? J'ai gardé les photos de nous, de nos ébats, je les regarde tous les jours. Je sais que c'est dangereux, que mon mari pourrait les voir, que ce serait dramatique, mais je m'en fiche. C'est tout ce qui me reste de toi. Tu te rends compte ? Des SMS et des photos sur mon portable. Je n'ai rien d'autre. Je n'ai rien d'autre pour penser à toi. Nous sommes un de ces couples adultères de l'ombre. Fugaces.

Éphémères. Sans avenir. Nous n'avons pas le droit d'exister. Nous ne faisons que bxxxxx. Mais même ça, nous ne le faisons plus, et j'en crève.

Je voudrais te donner rendez-vous, là, maintenant, et je voudrais t'attendre, avec dans le creux de mon ventre cette excitation folle qui monte, inexorable, elle monte, et elle monte, car je sais que tu es en chemin, que tu viens me retrouver, que chaque pas te rapproche de moi, que ce corps somptueux se déplace vers moi. J'imagine ensuite ton regard lorsque tu franchis la porte, ce regard sombre, affamé, qui me manque tant, et ensuite tes mains sur moi. Tes mains puissantes, et ton souffle sur moi, cette respiration qui devient saccadée, haletante, ton odeur qui m'enivre, tes doigts qui s'insinuent en moi, ta langue qui suit leur chemin. Mon Dieu, je parle comme une droguée. Mais c'est ce que je suis. Et ma drogue, c'est toi.

C.

Monsieur X n'a pas répondu à votre épouse.

Il s'avère que Monsieur X avait commencé (depuis l'été 2011) une relation suivie avec une jeune femme, R. Ils se sont connus dans une boîte de nuit, en Espagne. Mlle R. est revenue à Paris à la rentrée, et au bout de deux mois, elle a emménagé chez lui. Cette jeune femme, étudiante, a une vingtaine d'années. Elle est petite et blonde, le contraire de votre épouse. Elle est possessive vis-à-vis de Monsieur X, qui ne jouit plus de sa liberté d'avant. Mlle R. le surveille en permanence et traque tous les messages qu'il reçoit. (Il a même dû fermer sa page Facebook car elle ne supportait pas les commentaires d'autres femmes.)

Monsieur X a finalement acheté un deuxième portable (qu'il garde secret) avec un nouveau numéro qu'il a communiqué à votre épouse en décembre 2011.

8) Le 14 janvier 2012, votre épouse et Monsieur X se sont vus dans un café, avenue D… dans le VIIᵉ. Votre épouse portait un manteau gris-vert et des bottes en daim marron. Monsieur X portait un blouson de cuir noir, un jean noir et des baskets. Un de nos agents était assis à côté d'eux. Il a pu enregistrer la conversation. (Si vous souhaitez l'écouter, l'enregistrement est à votre disposition.)

En voici quelques extraits majeurs :

Votre épouse : *Ça fait bizarre de te parler. D'entendre ta voix.*

M. X : *Que veux-tu dire ?*

Votre épouse : *Lors de nos rendez-vous, on ne se parle pas. On fait l'amour. On n'a pas de conversations.*

M. X : *Ça te dérange ?*

Votre épouse : *Non, pas du tout. Ce qui m'a dérangée, c'est comment tu as disparu de ma vie pendant six mois, sans donner de nouvelles.*

M. X : *Je suis désolé. Elle me surveille en permanence. Je ne peux pas faire autrement.*

Votre épouse : *Tu es amoureux, alors ?*

M. X : *Oui, je crois. Je crois bien.*

(Silence.)

M. X : *Mais cela ne m'empêchera pas de…*

Votre épouse : *… de quoi ?*

M. X : *… toi aussi, tu m'as manqué.*

Votre épouse : *Vraiment ?*

M. X : *Oui, vraiment.*

Votre épouse : *Tu dois dire la même chose à toutes les femmes que tu bxxxxx. Et qu'ensuite tu laisses tomber.*

M. X : *Non. D'abord il n'y en a pas tant que ça, des femmes que je bxxxx, comme tu dis. Et puis toi, tu es à part.*

Votre épouse : *Pourquoi ?*

M. X : *Tu es la déesse du sexe. Tu aimes ça. Le CXX, c'est beau, c'est joyeux avec toi. C'est une fête. Une fête des sens.*

(Silence.)

Votre épouse : *Pourquoi tu me dis tout ça ?*

M. X : *Parce que ça fait une heure que je te regarde, que je te trouve sublime et que j'ai envie de toi à en crever.*

Ce même jour, immédiatement après cette conversation, votre épouse et Monsieur X sont allés dans un petit hôtel de la même avenue D... Ils sont montés directement dans une chambre et nous n'avons pas pu installer notre surveillance, faute de préparation. Ils sont restés une heure enfermés dans la chambre. Un de nos agents était dans le couloir, où il a clairement entendu des gémissements.

Votre épouse est sortie en premier, seule. Elle s'est engouffrée dans un taxi.

Voici le SMS qu'elle a envoyé à Monsieur X du taxi : *Je me sens belle. Je me sens revivre. Merci.*

Nous avons pu examiner la chambre n° 117 après le départ de Monsieur X. Nous avons constaté que le lit était défait. Il y avait deux préservatifs usagés dans la poubelle de la salle de bains et quelques longs cheveux bruns sur l'oreiller.

9) Le 14 février 2012, jour de la Saint-Valentin, vous étiez à Londres pour la sortie de votre roman *L'Été de Diane*. Monsieur X a donné rendez-vous à votre épouse dans un bar de la rue C… dans le XVIIe. Elle est arrivée à 16 heures. Elle portait un imperméable beige et un pantalon noir et des bottes noires. Monsieur X portait une parka noire, un jean et des baskets. Ils ont commandé un café et un thé au lait. Monsieur X semblait contrarié. Il ne souriait pas beaucoup. Nous n'avons pas pu nous rapprocher assez près pour capter la conversation qui a duré trente minutes. Votre épouse a eu une expression de plus en plus sombre. Puis elle est partie d'un coup, sans dire au revoir. Nous n'avons pas d'autre information. Toujours est-il que plusieurs heures plus tard, elle lui a envoyé ce SMS :

Comment peux-tu être autant sous l'emprise de cette fille ? Tu savais que j'étais libre pour la Saint-Valentin, je te l'avais dit lors de notre

dernier RV. Et voilà que maintenant tu es
« obligé » de passer la soirée avec elle.

Monsieur X n'a pas répondu. Ce soir-là,
votre épouse est allée devant chez Monsieur X,
rue B… Il habite au second étage. Ses fenêtres
donnent sur la rue. Votre épouse est allée
s'asseoir sous un abribus, sur le trottoir d'en
face. Il faisait froid. Elle est restée là pendant
quarante-cinq minutes, à regarder les fenêtres
de Monsieur X. Un de nos agents est allé
s'asseoir sur le banc à côté d'elle. En effet, on
pouvait parfaitement voir ce qui se passait chez
Monsieur X. Des bougies étaient allumées chez
lui, on voyait passer sa silhouette et celle de la
jeune femme, Mlle R. Il s'agissait d'un dîner
romantique de Saint-Valentin. Votre épouse
était de plus en plus crispée. Elle respirait avec
difficulté. Notre agent lui a demandé si elle avait
besoin d'aide. Elle a répondu que non. Elle a
fini par partir. Elle est retournée chez vous.

Quelques jours plus tard, votre épouse a
écrit un brouillon de courriel à votre intention,
qu'elle s'est envoyé à elle-même dans un premier temps. Mais elle ne vous l'a finalement
jamais envoyé.

M.,

À vrai dire, je n'ose pas t'écrire. La plume, c'est toi. Les mots, c'est toi. C'est ton métier, pas le mien. Mais je suis bien obligée de te faire part de ce qui se passe dans ma vie, depuis deux ans et demi. Je ne veux plus te mentir.

J'ai rencontré un jeune homme, un jour, dans un restaurant. Ce jeune homme, que j'appellerai X, est devenu mon amant. Au début, j'ai cru que c'était une aventure plaisante, une bouffée d'oxygène. Rien de méchant. Je t'ai très peu trompé, tu sais. Une aventure idiote après la naissance de notre fils.

Mais avec X, c'était différent.

Au fur et à mesure de cette liaison, je me suis rendu compte à quel point X comptait pour moi. C'était comme s'il avait appuyé sur un bouton secret qui avait fait surgir une autre femme.

Une femme que je ne connaissais pas. Une femme que tu ne connais pas, non plus.

Une inconnue.

X n'est pas libre. Il est aimé d'une jeune femme, et ils vont avoir un enfant. Je suis seule. J'ai peur.

Peur de tout perdre. De te perdre toi, de perdre ton respect.

Mais en même temps, je ne peux plus me taire.

Donc je t'écris. Je t'écris pour te dire que pendant toute ma vie avec toi, tu as été mon roc. Tu m'as guidée, tu m'as formée, tu m'as appris tout ce que je sais. Tu as été mon père, mon frère, le père de mon fils. Tu m'as donné cet enfant que j'aime plus que tout. Tu as été mon ami. Tu as cru en moi. Tu m'as donné l'amour des livres, de la musique, des voyages. Tu as ouvert mon esprit, et mon âme.

Puis cette inconnue est arrivée.

Cette femme inconnue qui est ma part noire.

Et dans son sillage, le chaos.

Je ne suis pas à ta hauteur. Je ne le serai jamais.

Tout ce que je sais, c'est que je t'aime.

Mais même en t'aimant, je suis capable de faire l'amour avec un autre.

Alors que dois-je faire ?

Me taire et te préserver ?

T'écrire et te perdre à jamais ?

Ta femme. Perdue.

10) Le 28 mai 2012, votre épouse et Monsieur X se sont vus dans l'appartement de Véronique B., la meilleure amie de votre épouse, rue du L…, dans le XVe. Véronique B. avait laissé les clés au gardien. Nous avons pu installer notre surveillance avant l'arrivée de votre épouse. Une fois sur place, votre épouse a enfilé une combinaison en résille noire qu'elle avait

achetée auparavant dans le sex-shop C., boulevard L… dans le XVe. Monsieur X est arrivé en scooter à 14h30. Il portait un perfecto en cuir noir, un jean et des baskets. Il est monté au troisième étage. Votre épouse l'attendait dans l'entrée. Monsieur X s'est mis entièrement nu. D'après ce que nous avons pu visionner, il y a eu quatre actes sexuels. Le tout a duré une heure. Dans l'ordre : une fellation, une caresse sexuelle buccale, une pénétration vaginale et un rapport anal (ces derniers avec préservatif). Votre épouse et Monsieur X ont commencé dans la cuisine (préliminaires) pour ensuite passer à la salle à manger. Votre épouse s'est penchée sur la table et Monsieur X l'a pénétrée par-derrière. Mais à la dernière minute, il l'a retournée, et ils ont continué avec votre épouse assise sur le coin de la table, et Monsieur X devant elle. Ils se sont parlé à voix basse, mais nous n'avons pas pu capter la conversation.

Votre épouse a eu deux orgasmes (un pendant la caresse sexuelle buccale et un pendant le rapport vaginal). Monsieur X a eu deux orgasmes (un pendant la fellation et un lors du rapport anal). Monsieur X est parti en premier.

Lorsque votre épouse s'est retrouvée seule, elle a pleuré, longtemps.

Votre épouse et Monsieur X ne se sont pas revus. Il n'y a plus eu d'échanges de SMS ni de photos. (Pour votre information, Mlle R. attend un enfant de Monsieur X, qui naîtra cet automne.) Votre épouse a semblé résignée après cette rupture. Pendant ces derniers mois, elle s'est lancée à corps perdu dans son travail. Elle a eu des moments de tristesse, voire de désespoir.

Nous vous joignons un dernier courriel de votre épouse à Véronique B. :

Ma chérie, il m'arrive un drôle de truc.

M. est parti depuis dix jours. À Venise. Je pensais que c'était pour une signature, mais D., son assistante, vient de me dire que non. M. est donc seul à Venise, au Gritti. D'après D. il va y rester un long moment.

Je ne sais pas ce qu'il y fait. Impossible de le joindre. Il a en horreur les téléphones portables, comme tu sais, et il ne répond pas dans la chambre. J'ai laissé trois messages à la réception pour lui. Aucune réponse. Quant aux courriels, tout passe par D., donc je ne peux rien écrire de personnel.

Notre fils est dans un *summer camp* aux USA et revient mi-août. Je pense qu'il a eu des nouvelles de son père, de son côté.

A-t-il su, pour X ? Il y a eu cette matinée, en 2009, au début, où j'avais bêtement laissé mon portable dans la salle de bains. M. ne m'a jamais rien dit. Tu le connais. Ce n'est pas son genre de faire une scène. Peut-être a-t-il voulu fermer les yeux. Ne pas voir. Ne rien savoir. Mais cette histoire a duré presque trois ans. N'a-t-il pas subodoré, intercepté ? Je suis inquiète. Je redoute de le confronter. J'avais, à un moment, tenté de lui écrire pour lui expliquer, mais j'ai renoncé. Comment expliquer X ? Personne ne pourrait comprendre cette histoire. J'ai cédé, je n'ai pas su (ou pas pu) résister, et j'ai été happée par ce tourbillon fou. J'y ai laissé quelques plumes.

Quand je passe dans son quartier, je pense à lui. Oui, il me manque, mais pas comme avant. Le « comme avant », c'est fini. Mais au moins, j'aurai vécu, une fois dans ma vie, ce désir fou, cette extase inouïe.

Que fait mon mari à Venise ?

Qu'attend-il de moi ? Sait-il ?

A-t-il décidé de me quitter ?

Il est capable de me quitter, je le sais bien, avec cette pointe de cruauté et cette intelligence étincelante qui le caractérisent.

Il est capable de ne plus jamais me parler de sa vie.

Ou de me pardonner.

Je t'embrasse ma chérie.

C.

Nous arrivons donc à la fin de ce dossier. Nous espérons qu'il a été à la hauteur de vos attentes. Votre note est en annexe.

Nous vous prions de croire, Monsieur, en l'expression de nos sentiments les plus cordiaux.

Agence Ruby

Le 17 juillet 2012

Message pour Monsieur M. H./Hôtel Gritti/ Suite 22

Bonjour, nous avons suivi vos instructions. Le billet d'avion pour Venise (vol AF 457 départ 18 heures de CDG arrivée Venezia-Marco-Polo à 20h30) a été livré par porteur spécial à votre épouse ce matin, sans aucune autre mention.

Voici le dernier SMS de votre épouse à son amie Véronique B. : *Véro! Me voilà convoquée à Venise par mon mari. Je t'écris de la salle d'embarquement. Je ne sais pas si c'est la fin de mon mariage ou son renouveau, car avec un mari pareil, on doit s'attendre à tout. Il faut se méfier des écrivains...*

DANCING QUEEN

Dancing Queen a fait l'objet d'une première parution en 2011 dans *Madame Figaro*.

Veilleur de nuit. Ben a accepté le job parce qu'il n'a pas le choix. C'est la crise. Il n'en peut plus de ce mot. La crise. La crise. On n'entend plus que la crise à la radio, à la télévision. Pour payer la fin de ses études dans une école de commerce, voilà ce qu'il est obligé de faire, veilleur de nuit dans une entreprise, en banlieue. Du coup, Ben ne dort plus, ou très peu. Pendant la journée, il pique du nez sur sa copie. Le soir, après avoir grignoté un morceau avec sa mère divorcée, au chômage, cinquante-cinq ans, dépressive (une joyeuseté), il arrive à la société TRUP, déjà épuisé, vêtu de son uniforme en acrylique beige qui le démange, et il « surveille ».

Ben n'a pas le droit de surfer sur Internet pendant qu'il « surveille », c'est écrit sur son contrat. L'ordinateur qui se trouve dans le bureau de surveillance doit rester éteint. Ben

doit se concentrer sur les huit écrans de contrôle
devant lui. La société TRUP vend des meubles
de cuisine. Les architectes et designers qui y travaillent sont tenus au secret. Tout ce qui se passe
dans cet immeuble est hautement confidentiel,
explique-t-on à Ben. Tellement confidentiel que
le ménage est fait à minuit, par deux femmes de
ménage, lorsque les designers et les architectes
ne sont plus là, et que tous leurs plans et leurs
dessins ont été soigneusement rangés. L'année
dernière, explique-t-on à Ben, il y a eu un cam-
briolage en pleine nuit. C'est pour cela que
la direction a décidé d'embaucher un veilleur
de nuit.

Ben s'ennuie beaucoup à la société TRUP.
Au début, il lisait, mais ses paupières étaient si
lourdes qu'il a vite abandonné. Il a le droit de
regarder la télévision, et d'écouter la radio. Il a
pris l'habitude de suivre les émissions tardives
pour les gens comme lui, les gens qui travaillent
la nuit, les gens qui roulent la nuit, les gens qui
ne dorment pas. Sur une des chaînes de radio, il
aime bien écouter une émission où des inconnus
appellent pour parler de leurs peines de cœur.
Lui aussi, il a une peine de cœur, mais il n'a jamais
osé téléphoner. Nora. Elle l'a laissé tomber après

deux ans d'une jolie histoire d'amour. Il a reçu un SMS un matin, et c'était fait.

Nuit après nuit, au cœur de l'hiver, Ben écoute des hommes et des femmes parler d'amour et de désamour. Puis, chaque heure, il regarde le journal télévisé où il n'est question que de crise, chômage, catastrophes naturelles, attentats, assassinats. Mon Dieu, se dit-il, mais dans quel monde vit-on? Il pense à sa mère, abrutie par les cachets et l'alcool. Il pense à son père, qu'il n'a pas revu depuis dix ans, parti un soir en claquant la porte. Il pense à Nora, qui a dû l'oublier dans les bras d'un autre. Et il se dit qu'à vingt-trois ans à peine, que lui reste-t-il? Un diplôme, puis des années de chômage? de solitude? de galère? Il aimerait partir. Voyager. Et au lieu de ça, le voilà coincé chez TRUP, dans ce petit bureau froid, borgne, à l'éclairage jaunâtre, où tout paraît encore plus triste, encore plus morne, encore plus désespéré.

Sur les huit écrans, il observe les images de contrôle. C'est toujours la même chose. Il ne se passe rien. Si seulement quelqu'un voulait bien cambrioler la société TRUP à nouveau! Si seulement il pouvait voir se dessiner sur l'écran une silhouette furtive, un homme cagoulé, un espion. Un Arsène Lupin tout en élégance, un agent secret ! Mais il ne voit que les deux femmes de ménage dont il connaît le circuit par cœur. Elles entrent dans l'immeuble par une autre entrée, donc elles ne passent même pas devant son cagibi.

Ben ne connaît pas leurs noms, mais il sait comment elles travaillent. La première est une grande fille baraquée qui brandit son aspirateur comme si c'était une arme. Elle lui fait un peu peur. Jamais il n'a vu le ménage fait avec une telle énergie. Pas une particule de poussière ne lui échappe. La seconde est plus indolente, toute en rondeur. Elle passe beaucoup de temps à regarder son portable, ses ongles, et à s'admirer dans les miroirs de la société TRUP. Elle en fait trois fois moins que l'autre. Une nuit, elle a bavardé une heure au téléphone, tout en laissant l'aspirateur allumé. Ben se demande si les femmes de ménage savent qu'il peut les voir. Il ne dira rien sur leur travail, il ne veut pas se mêler de ce qui ne le regarde pas. Mais un soir, Ben constate que seule la grande baraquée est venue. Et le soir d'après, c'est pareil. Pendant une semaine entière, la petite ronde ne vient pas. Et Ben finit par comprendre qu'elle avait dû se faire renvoyer.

La nouvelle était une femme parfaitement ordinaire. Il n'arrivait pas à déterminer son âge sur les écrans de contrôle, mais il dirait entre vingt et trente. Une masse de cheveux châtains retenus par une queue-de-cheval.

Elle faisait le ménage tout en haut de l'immeuble, là où se trouvaient la grande salle de réunion et la cafétéria. L'autre, la grande baraquée, s'occupait du rez-de-chaussée et des premiers étages. Ben regardait la nouvelle brancher l'aspirateur. Il s'est demandé quelle était sa vie. Était-elle aussi victime de la crise, de la morosité ambiante ? Quand est-ce qu'elle avait ri, pleuré, aimé pour la dernière fois ? Pourquoi avait-elle pris ce job de nuit ? Que faisait-elle pendant la journée ?

Tout à coup, elle a esquissé un pas de danse. Ben s'est frotté les yeux. Non, il n'a pas rêvé. Elle a pris la même pose que Travolta dans *Saturday Night Fever* : index pointé vers le ciel, déhanchée, la tête sur le côté. Il a cherché le bouton « Volume » sur l'écran n° 8. Pas de musique. Il a remarqué alors qu'elle portait des écouteurs.

Médusé, Ben regardait la femme de ménage danser toute seule en poussant son aspirateur dans la cafétéria. Il n'avait jamais vu quelqu'un bouger ainsi dans la vraie vie, même pas dans une boîte de nuit. Elle tournoyait à un rythme endiablé que, seule, elle pouvait entendre, et il la dévorait des yeux, fasciné. C'était comme si l'aspirateur était devenu son partenaire de danse, elle ondulait autour de lui, le faisait serpenter sous les tables, sous les chaises, toujours en proie à cette cadence grisante. Et elle souriait. Oui, elle souriait.

Quand elle s'est rendue dans la salle de réunion, écran n° 7, il s'est passé quelque chose. Elle a remarqué un appareil, des enceintes. Elle a ôté ses écouteurs, et elle a posé son téléphone portable sur l'appareil. La musique a explosé, assourdissante. *Billie Jean*, de Michael Jackson.

Ben n'en revenait pas. Elle faisait le ménage, elle vaporisait, elle frottait un chiffon d'une main, agitait un plumeau de l'autre, tout en esquissant le Moon Walk, le fameux pas de Jackson qui faisait rêver. Ben la contemplait, ahuri, transi. La chanson d'après, c'était *Dancing Queen*, de Abba. Sa mère adorait cette

chanson, elle disait que cela lui rappelait sa
jeunesse. La jeune femme a enlevé sa blouse
beige. Elle était vêtue d'un tee-shirt noir et d'un
jean noir. Quand elle est montée sur la grande
table de réunion, Ben s'est dit, mais elle est folle
ou quoi ?

Elle se donnait tout simplement à la danse, les
yeux fermés, avec toujours ce sourire éblouissant, elle était devenue la Dancing Queen.
Jamais Ben n'avait vu un spectacle aussi galva-
nisant que cette femme qui s'adonnait ainsi à
la musique, comme si ménage et disco se trouvaient intimement liés.

Quand il a entendu *You Should Be Dancing*,
des Bee Gees, Ben s'est levé d'un bond, comme
un fou. Ses jambes le démangeaient. Impossible de rester assis plus longtemps. Lui aussi,
il devait se laisser aller à cette basse envoûtante,
malgré ce bureau exigu et mal chauffé, et son
horrible uniforme beige qui le serrait trop. En
dansant, Ben oubliait ses soucis, il oubliait la
crise, sa mère, Nora, sa fatigue, le froid, il
oubliait la solitude, l'angoisse, la peur, la morosité de son futur.

Chaque nuit, pendant une semaine, Ben dansait avec Dancing Queen. Il dansait avec elle, à son insu, pendant une heure, et c'était comme s'il dansait vraiment à ses côtés, leurs gestes étaient identiques, souples, fluides, beaux. Il lui envoyait des baisers. Elle était sa Dancing Queen, rien qu'à lui. Jamais il n'aurait osé l'aborder. Chaque soir, elle devenait sa partenaire de danse. Et pendant la journée entière, il y pensait. Et cela lui faisait un bien fou.

Une nuit glaciale, en bas de l'immeuble, une jeune femme emmitouflée dans une parka semble l'attendre. Elle porte une gros bonnet en laine.

« Bonsoir », lui dit-elle.

Il lui répond poliment.

« Vous savez, enchaîne-t-elle très sérieusement, dans la grande salle de réunion du dernier étage, il y a un écran de contrôle qui montre le bureau du veilleur de nuit. Et sur cet écran, on voit tout ce qui se passe. Tout. »

Ben ne sait pas quoi dire. Son cœur bat très fort. Il se sent ridicule. Il regarde ses pieds. Puis il ose lever les yeux sur elle.

Dancing Queen sourit, de ce beau sourire éblouissant. « Tu danses bien », murmure-t-elle.

Il fait froid et sombre devant l'immeuble de la société TRUP.

Quelques flocons de neige virevoltent doucement.

Mais Ben n'a plus froid.

LA FEMME DE LA CHAMBRE D'AMOUR

Épisode 1

Roxane avait répondu à une annonce sur le site du journal *Sud-Ouest*. Il s'agissait d'un travail de trois mois, au sein d'une petite maison d'édition, pour ressaisir des manuscrits sur support numérique. Il fallait les corriger, travailler avec les auteurs. C'était plutôt bien rémunéré. Roxane avait envoyé un courriel avec son CV, une lettre de motivation, et la secrétaire de Roger Montgrand avait téléphoné pour prendre rendez-vous.

Dans une vitrine, Roxane vit son reflet passer : robe seyante, silhouette fluide, cheveux domptés par un catogan. Tout à fait satisfaisant pour un entretien d'embauche. La maison d'édition se trouvait avenue Édouard-VII, en face de l'Hôtel du Palais. Roxane admira, comme à son habitude, l'immense bâtisse rouge, construite par Napoléon III pour l'impératrice Eugénie. Comme cela devait être romantique, ces suites qui donnaient sur la Grande Plage…

Elle se reprit. Attention. Ne pas penser à l'amour. Ne plus penser à l'amour.

Roxane se remettait à peine d'une rupture. Max, son compagnon, la trompait avec Nadia, une amie. Il y avait quelques mois, Roxane était rentrée un soir plus tôt que prévu.

La clef dans la serrure, son joyeux « Salut Max, c'est moi ! » suivi d'un silence étrange.

Un pressentiment. Des chuchotis furtifs derrière la porte fermée.

— Max ? T'es là ?

Cette apparition, surréaliste, Nadia, le visage cramoisi, à moitié nue, enroulée dans un drap.

— Je vais t'expliquer, Roxane, écoute…

Puis Max, tout aussi nu, tout aussi rouge.

Jamais Roxane n'oublierait cette journée. C'était la première fois qu'elle vivait une telle trahison. Max et elle étaient ensemble depuis cinq ans. Elle n'avait rien vu venir. Elle avait fait confiance. Ils avaient même parlé mariage, enfants, à une époque. Comment avait-elle pu être aussi aveugle ? Ou si peu lucide ? Peut-être qu'elle n'avait rien voulu voir, justement. Pour se protéger.

Pour couronner le tout, la librairie pour laquelle elle travaillait depuis trois ans fermait ses portes. La gérante prenait sa retraite. Le commerce allait être remplacé par une épicerie de luxe. Roxane en était désolée. Elle aimait les livres, elle aimait le contact avec les clients à l'affût d'une lecture. Les conseiller, les guider dans leur choix, tout cela allait lui manquer.

Roxane avait cru un moment qu'elle n'allait pas tenir le coup. Finirait-elle par appeler ses parents à Bordeaux, ou sa sœur, qui terminait ses études de médecine à Paris ? Non ! Elle se débrouillerait seule. Du haut de ses 30 ans, elle allait pour la première fois affronter certaines réalités de la vie. Et si ça n'allait pas, elle pourrait toujours compter sur ses parents ou sur sa sœur, elle le savait.

Quant à l'amour…

Aujourd'hui, le soleil brillait fort, avec l'annonce de l'été à venir. Biarritz sentait les beaux jours, le vent salé, les « beignets abricot » vendus sur la plage. Le Biarritz qu'elle aimait, qu'elle était venue chercher en s'installant ici après ses études. Le Biarritz des grandes marées, des vagues, des surfeurs, des touristes, de cette foule estivale qui la divertissait. Biarritz et son climat humide, souvent incertain. Malgré sa rupture, Roxane était heureuse de vivre ici. D'être une Biarrote.

— Je suis Roxane Leval, j'ai rendez-vous avec M. Montgrand, annonça-t-elle à la réceptionniste.

Roger Montgrand apparut. Jovial, hâlé, il portait sa cinquantaine avec une joie de vivre avenante.

— Vous êtes du coin, mademoiselle ? lui demanda-t-il.

Il disait « coing », avec l'accent du pays.

Roxane répondit qu'elle était née à Bordeaux, mais qu'elle avait passé tous ses étés à Biarritz. Elle avait décidé de s'installer ici après des études littéraires. Elle avait travaillé à la grande librairie, place Clemenceau, en face de l'ancien Biarritz-Bonheur. Mais la librairie avait fermé. Elle aimait les livres et tout ce qui y touchait. C'était pour cela qu'elle avait répondu à l'annonce. Elle savait bien qu'il s'agissait d'un CDD, mais cela la passionnait d'avance.

Roger Montgrand lui apprit qu'elle allait remplacer une jeune femme en congé maternité. Mais si elle faisait ses preuves, il y aurait peut-être une place pour elle, à la rentrée. Il trouvait son cursus intéressant et avait apprécié sa lettre de motivation. Pouvait-elle commencer dès le lendemain matin ?

Roxane sourit. La vie lui parut soudain plus belle. Pour la première fois depuis de longues semaines, elle sentit son cœur léger, presque heureux.

L'appartement de la résidence Nadaillac, où elle vivait, qui surplombait de sa masse moderne la plage de la Côte des Basques, lui sembla tout à coup moins triste depuis le départ précipité de Max.

Debout sur le balcon au dixième étage, le visage caressé par la brise, Roxane savoura un verre de chablis en regardant vers le sud. Elle aimait cette échappée vers l'Espagne, avec les Pyrénées qui se dressaient au loin, perdues dans la brume. Les lumières de Guéthary s'allumaient dans la nuit, rejointes par celles de Saint-Jean-de-Luz, d'Hendaye, de Fontarabie. Et pendant que Roxane restait là, les yeux rêveurs, le phare de Biarritz, juché sur le cap Saint-Martin, se mit en route, balayant la ville de son faisceau pâle.

Malgré elle, Roxane pensa à Max, à leurs années ensemble, à leur bonheur envolé, à toutes les soirées qu'ils avaient passées sur ce balcon, à boire un verre de vin, à regarder le rayon du phare.

Elle avait appris que Max n'était plus avec Nadia. Il devait avoir une nouvelle petite amie. Peu à peu, la cicatrice se refermait. Il n'y avait pas eu que Max dans sa vie, elle avait aimé d'autres hommes. Mais Max lui avait causé le plus de douleur. Aussi cherchait-elle à présent une histoire plus légère, un épisode sensuel qui lui ferait du bien, qui enflammerait ses sens. Elle avait connu quelques aventures sans lendemain, encouragée par ses amies proches. Des étreintes rapides, sans ardeur, sans passion, qu'elle préférait oublier. Elle aimait mieux être seule, au fond, que de subir des aventures dénuées d'intérêt. Du moins, tentait-elle de s'en persuader.

Mais cette solitude lui pesait.

Épisode 2

« Comme elle est jolie », pensa Roger Mont-grand, avec un soupir dissimulé.

Elle ressemblait à un ange de Botticelli. Cela faisait presque trois semaines que Roxane travaillait chez lui, mais il ne se lassait pas de ce visage ovale, de la fraîcheur de son teint, de la masse sombre de ses cheveux. En plus d'être jolie, elle était efficace. Avec un sens de l'humour pointu qu'il appréciait particulièrement.

Parfois, cependant, elle semblait mélancolique. Il se demandait quelle en était la raison. Certainement un chagrin d'amour. Roger se sentait protecteur envers sa nouvelle recrue. Il était trop bien élevé pour lui poser des questions indiscrètes – et elle trop réservée pour lui divulguer sa vie privée – mais il aimait imaginer qu'il veillait sur elle.

Roxane se donnait corps et âme à la petite maison d'édition, relançait les auteurs, travaillait sans relâche sur les manuscrits. En plus de sa capacité à rectifier rapidement un texte, elle avait d'emblée un excellent contact avec les écrivains de la région.

Roger publiait des albums historiques et culturels en rapport avec le Pays basque. Avec lui, Roxane retrouvait avec joie sa passion des livres. C'était captivant d'assister à la naissance des ouvrages, de travailler à leur fabrication, de leur genèse à leur publication. Roger lui demandait également son avis sur les couvertures, sur les résumés. Elle prenait ces nouvelles tâches au sérieux.

Certains auteurs étaient plus difficiles que d'autres. Il y avait le ronchon Jean-Pierre Nabel, que Roxane avait mis dans sa poche au bout d'une entrevue. Il y avait la pointilleuse Nathalie Hirigoyen, qui s'était laissé amadouer par Roxane. Sans parler de Sancos Defer, d'habitude incapable de rendre un manuscrit en temps et en heure. Depuis l'arrivée de Roxane, tous respectaient les délais.

Elle faisait « un carton », selon Roger. Et déjà, il n'imaginait pas la maison d'édition sans elle. Il allait devoir se débrouiller lors de la fin du congé maternité que Roxane remplaçait. Pas question de la perdre ! Les auteurs aussi voulaient en savoir plus sur Roxane. Ils étaient bien curieux. Mais d'où avait-il sorti cette perle rare ? « Une petite annonce ! » répondait Roger, hilare.

Roxane travaillait dans un petit bureau, près de l'entrée des éditions, où elle passait beaucoup de temps devant son ordinateur. Elle était tellement concentrée que Roger pouvait la contempler à son aise, de son regard à la fois rêveur et bienveillant. Il avait remarqué qu'aucun jeune homme ne venait la chercher le soir. Parfois une bande de joyeuses copines. C'était tout. Il avait su également qu'elle vivait seule dans la résidence Nadaillac, au-dessus de la Côte des Basques. Il n'en savait pas plus.

Au bout de quelques semaines de travail intense, Roxane se rendit compte, avec une certaine surprise, que la vie avec Max lui semblait loin, que leur couple s'était replié sur lui-même, et qu'elle n'avait pas souhaité le constater. Comme si elle en avait eu peur. C'était étrange. En y repensant, elle se dit que cette fin brutale n'était au fond pas une surprise. Après tout, elle n'avait que trente ans. Elle était libre. Cette tristesse qui l'avait habitée, cette douleur, elle n'en voulait plus. Son nouveau travail lui donnait une énergie inédite. À elle d'en profiter, d'avancer.

Alors qu'elle rentrait en voiture d'Anglet, où elle était partie travailler avec Nathalie Hirigoyen, Roxane reçut un appel sur son iPhone. Sur le dispositif « mains libres », la voix joviale de son patron se fit entendre. Depuis un petit moment déjà, ils se tutoyaient.

— Je t'envoie faire un tour chez François Del. Il est venu l'autre jour aux éditions, et il a enfin terminé de corriger ses épreuves. Comme c'est assez urgent, j'aimerais que tu jettes un œil dessus. Il t'attend.

— Très bien, dit Roxane. Où habite-t-il ?

— La dernière maison avant le phare, celle avec le toit vert.

Roxane avait toujours apprécié cette partie de la ville. Sa sœur et elle avaient souvent visité le phare. Les jours de tempête, on avait l'impression que la mince colonne vacillait au gré des bourrasques.

Elle se gara devant la villa au toit vert. C'était la maison la plus proche du phare, elle jouissait de deux vues : celle vers l'Espagne, que Roxane aimait tant, et celle tournée vers le nord, donnant directement sur la plage de la Chambre d'Amour.

Petite déjà, Roxane avait été émue par la légende des lieux. On disait qu'il y avait longtemps, un couple d'amoureux s'était caché pour s'aimer dans une des grottes naturelles creusées dans la falaise grise. Mais la marée montante avait envahi la grotte. Les amants avaient péri, noyés. La plage en garda ce nom romantique, qui n'avait cessé de plaire à Roxane.

Roxane ne se souvenait pas d'avoir rencontré François Del. Elle savait qu'il était un auteur reconnu de la région. Il préparait pour les éditions un album sur le Biarritz d'antan. Il était apparemment passé voir Roger aux éditions, mais elle ne se rappelait pas l'avoir croisé. Certainement un vieux monsieur nostalgique, perdu dans les splendeurs du passé.

Roxane sonna longuement au portail de la villa. Un labrador noir et bondissant fit le tour de la maison pour venir la saluer. Il semblait affectueux.

— Toi, tu es bien trop gentil pour être un chien de garde ! s'amusa Roxane, en lui caressant la tête.

Puis, comme personne ne répondait à ses coups de sonnette, elle dit au chien :

— Mais où est ton maître ?

— Ici ! répondit une voix grave.

Roxane vit volte-face pour découvrir un jeune homme vêtu d'une combinaison de surf. Il tenait une planche sous le bras. Il était trempé, ses cheveux noirs collés en arrière, ses cils lourds de gouttes d'eau.

Ce type devait être le fils Del. Il irait chercher son père, plutôt dur d'oreille, puisqu'il n'avait pas entendu la sonnette !

Il s'approcha d'elle, sourit, et lui tendit une main brune encore mouillée.

— En vous attendant, j'ai vu les vagues de mon balcon… Je n'ai pas pu résister.

Quel âge pouvait-il avoir ? Trente-cinq ans, tout au plus.

Roxane ne put s'empêcher de détailler la carrure athlétique sous la combinaison, le visage bronzé aux pommettes saillantes. Il avait un regard clair, à la fois perçant et rêveur, un sourire doux. Elle fut troublée par le contact fugace d'une paume humide contre la sienne.

Ainsi, c'était lui, François Del.

Épisode 3

— Venez, dit-il avec un sourire.

Il cala sa planche contre le mur de la villa. Roxane le suivit, gravit derrière lui plusieurs marches, avant de pénétrer dans une haute entrée sombre qui embaumait la boiserie ancienne et l'encaustique. Intriguée, elle regarda autour d'elle. Un grand escalier montait au premier, où s'élançait une galerie. Il y avait des livres partout, certains à même le sol, d'autres rangés sur d'immenses bibliothèques. L'odeur des livres régnait en maître, ce parfum si particulier que Roxane aimait tant, un mélange de poussière, d'humidité, de vieux papiers.

— J'ai hérité de cette maison après la mort de mes grands-parents, dit François Del. Comme mes parents sont divorcés, personne n'a voulu la reprendre. Alors je me suis proposé. J'ai passé toute mon enfance, toute mon adolescence ici. Je n'allais pas laisser passer une pareille occasion.

— Comment s'appelle-t-elle ?

— Elle n'a pas de nom ! On l'appelle la « Villa au toit vert ». Et aussi, la « Villa de la Chambre d'Amour ».

— L'hiver, cela ne souffle pas trop ? demanda Roxane.

François Del avait disparu derrière une porte. Mais sa voix lui parvint clairement.

— Oui, ça souffle fort, comme dans *Les Hauts de Hurlevent*. Cela ne me dérange pas, j'aime bien ces ambiances de grande tempête !

— C'est à vous, tous ces livres ?

— La plupart sont à mes grands-parents. Mais je vous avoue que je suis un grand lecteur.

— Comme moi, dit-elle.

Il réapparut, vêtu d'un jean et un T-shirt. Il sourit encore à Roxane.

— C'est vrai ? Vous aimez aussi la lecture ?

— À un tel point que petite, je lisais sous les draps, avec une torche. Ma mère surveillait le rai de lumière sous la porte. Quand j'entendais son pas, d'un clic, j'éteignais la lampe de poche.

Ma mère s'éloignait, je rallumais, et je replongeais dans ma lecture. Jusque tard dans la nuit.

— Et maintenant vous allez devoir me relire, moi ! Bon, au travail !

Le salon donnait sur la plage de la Chambre d'Amour. À travers la grande baie vitrée, on voyait que la marée montait, grondait contre la falaise grise. Les meubles de la pièce étaient simples, confortables, usés, comme si plusieurs générations les avaient patinés. Roxane aperçut quelques photographies encadrées sur un guéridon. Des visages poupons, une femme brune. Ses enfants ? Sa femme ? Ou tout simplement lui, gamin, et sa mère ?

François Del tendit à Roxane un jeu d'épreuves. Assise en face de lui sur le grand canapé, elle se mit à étudier les pages. Les corrections en rouge marquaient çà et là le texte.

À un moment, elle demanda une précision : était-il certain de vouloir un saut de page à cet endroit exact ? François Del fit le tour de la table basse qui les séparait pour s'asseoir à côté d'elle. Il pencha la tête vers la feuille qu'elle tenait sur ses genoux.

Un nouveau trouble, plus tenace, envahit Roxane. Il se dégageait de François Del une odeur discrète, attirante. Elle s'efforça de ne pas y prêter attention.

— Comment avez-vous eu l'idée d'écrire ce livre ? lui demanda-t-elle. J'ai appris plein de choses passionnantes.

— J'ai souhaité ressusciter le Biarritz d'antan, répondit-il, et dénoncer les démolitions des années 60 et 70. Tout ce qui a saccagé la ville.

Son index pointa les photographies « avant/après » de l'ancien l'Hôtel Miramar. Roxane imagina les coups de massue sur la belle bâtisse dorée, une des nombreuses gloires disparues de Biarritz, remplacée par une hideuse construction des années 70, sorte de pyramide blanche qui s'avançait vers la mer tel un ponton.

Elle se mit à rêver devant les images de ces anciennes villas aux noms évocateurs, toutes détruites aujourd'hui. Les Villas Marbella, Pélican, la tour Genin, les Hôtels Carlton, d'Angleterre. Tous rasés pour céder la place à des blocs carrés sans grâce.

Interloquée, Roxane découvrit une photographie du Chalet Nadaillac, superbe demeure aux toits pointus appartenant à la comtesse du même nom.

— Et dire qu'on a détruit cette splendeur pour construire un immeuble monstrueux ! s'exclama François Del. Un machin d'une laideur, on dirait un parking !

Roxane piqua du nez.

— Oui, c'est vrai, c'est laid, dit-elle, mais il y a une jolie vue.

— Ah, vous y habitez ?

— Oui, murmura Roxane, penaude. C'était le premier appartement que j'ai trouvé qui ait une aussi belle vue sur la mer.

— Ne vous justifiez pas ! s'amusa-t-il. Et je vous l'accorde, il y a sûrement une jolie vue.

Elle n'osa pas lever les yeux sur lui, et s'efforça de regarder la photo fixement.

Il était attirant, avec cette virilité un peu massive, le cou fort, les muscles dessinés sous le T-shirt, mais il avait les traits fins, des lèvres charnelles. Ses yeux avaient une couleur indéfinissable, vert, gris, bleu, un peu de tout cela à la fois.

Roxane ne put s'empêcher de penser à François Del, au lit. Elle l'imaginait, très concrètement. Elle le voyait, comme s'il était nu, là, devant elle.

Quel genre d'amant était-il ? Comment embrassait-il ? Comment prenait-il une femme ? Elle observa discrètement ses mains, ses doigts. Elle se demanda comment il caressait, comment il touchait.

Une chaleur monta en elle.

Lorsqu'il lui posa une autre question, qu'elle entendit à peine, elle dut affronter ses yeux clairs.

Roxane fit un effort pour se reprendre. Mais enfin, que lui arrivait-il ? Elle était au travail, avec un auteur ! Elle se racla la gorge, se concentra, parvint à retrouver ses esprits.

Elle bafouilla :

— Pardon, vous me disiez quelque chose ?

— Oui, je voulais vous confier cette clef USB. C'est la dernière version du texte. Pouvez-vous y jeter un ultime coup d'œil ?

— Bien sûr, dit-elle précipitamment en empochant la clef.

Elle prit congé, le visage encore chaud. Il avait certainement dû remarquer ses joues rouges et son embarras. Quelle gourde ! Pour une fois qu'elle se trouvait face à un type aussi séduisant ! Elle s'esclaffa en repensant à la scène. De quoi faire rire ses amies, quand elle leur raconterait.

Elle travaillerait ce soir sur le texte de François Del, pour ne pas prendre de retard. Il lui suffirait de pointer toutes les corrections sur papier et de les vérifier sur le fichier numérique.

L'affaire de quelques heures.

Épisode 4

Sur le chemin du retour, en écoutant Daft Punk au volant, Roxane ne put s'empêcher de sourire. Mon dieu ! Qu'est-ce qui lui avait pris ! Imaginer ce beau mec au lit, imaginer précisément comment il faisait l'amour. Un auteur respecté de la maison ! Elle en riait presque. Mais cela lui avait fait du bien. Tellement de bien.

Cette chaleur naissante au creux du ventre. Ce trouble exquis. Elle n'avait pas ressenti cela depuis si longtemps. Elle repensa à ses dernières aventures. Des catastrophes. Ces peaux qui ne lui plaisaient pas, ces gestes qui l'avaient laissée de marbre. Comme si son corps s'était endormi. Engourdi. François Del avait libéré son désir. Son envie. C'était délicieux.

Au feu rouge, un automobiliste la dévisagea avec un large sourire. « Vous êtes belle », lui lança-t-il, par-dessus la vitre entrouverte.

Elle avait envie de lui dire merci.

Une fois chez elle, Roxane se prépara un repas rapide, salade de tomates-mozzarelle, une pêche, un verre de Chianti, puis elle s'installa devant l'ordinateur.

Un petit tour sur Facebook. Elle y allait moins depuis sa rupture. Elle chercha « François Del ». Elle ne savait rien de lui. Absolument rien. Vivait-il seul ? Était-il marié, avait-il des enfants ? Dans sa grande maison aux allures gothiques, peu d'indices trahissaient la présence d'une famille, à part les photographies sur le guéridon.

Il y avait bien un profil à son nom. Mais il était privé et elle ne put glaner aucune information. Elle tapa son nom sur Google, pour espérer en savoir plus. Elle lut quelques articles sur la sauvegarde du vieux Biarritz qu'il avait signés, découvrit quelques photographies. Rien de bien intéressant.

Elle introduisit la clef USB qu'il lui avait donnée.

Sur l'écran, s'affichèrent les mots suivants :

« La Femme de la Chambre d'Amour »,
par François Del.

Interloquée, Roxane fit défiler le texte d'un clic de souris. Rien à voir avec le livre sur Biarritz.

François Del avait dû se tromper de clef USB. Tandis qu'elle réfléchissait, ses yeux décryptaient malgré elle les phrases alignées sur son écran.

Elle ne pouvait pas s'empêcher de les lire.

Elle ne devrait pas.

Mais il était trop tard.

Elle. Une grande blonde, les cheveux au carré, les yeux clairs. Élégante. Distinguée. De longues jambes. À ce cocktail que je n'oublierai jamais, soir de notre rencontre, elle était avec un homme. Son mari ? Un amant ? Elle me regardait. Elle me regardait avec ce petit sourire. Du haut de mes vingt ans, elle me regardait, moi. Mal à l'aise dans mon costume trop neuf, accompagné d'une fille de mon âge au front brillant et aux chevilles lourdes. Je n'étais pas puceau, mais je n'avais jamais eu d'aventure avec une femme plus âgée, plus expérimentée.

Nous avions commencé à bavarder, à ce cocktail, elle et moi. Une conversation mondaine, dont je n'ai aucun souvenir. Je ne voyais que sa bouche. Ses lèvres. Ses mains. Sa peau. Je lui ai demandé son numéro de portable. Elle me glissa une petite carte. Il y avait son prénom, son téléphone, son mail. Pas d'adresse postale. « Et oui, je suis nomade », avait-elle ri en partant. Une belle nomade.

C'est elle qui m'avait écrit en premier. Je me souviens parfaitement de ce premier e-mail.

« Tu sais, je suis une femme comme les autres, avec un mari, des enfants, un métier. Je travaille pour une grande société de communication. Je voyage tout le temps, je passe ma vie dans des TGV, des avions, je rentre épuisée, et je dois gérer mes enfants adolescents, leurs problèmes, leurs soucis, et puis mon mari, que tu as entraperçu, et ses problèmes et ses soucis. Oui, j'ai la vie de milliers de femmes. Une vie qui va à cent à l'heure. Une vie que j'aime. Une vie que je ne changerais pour rien au monde ! Une vie qui fait que je n'ai pas le temps de m'ennuyer. Une vie tourbillonnante que tout le monde voit. Et puis, j'ai une vie secrète. Cela t'intéresse ? »

Évidemment, j'avais répondu : OUI.

Exactement comme ça, en lettres majuscules.

« OUI. »

« Alors, je te dis tout. L'amant le plus important pour moi, c'est un ex. Appelons-le "Lundi" puisque je le vois les lundis. Pas tous les lundis. De temps en temps. J'ai failli me marier avec Lundi. Mais il m'a quittée pour une autre. J'ai eu du mal à m'en remettre. C'était bien avant mon mari. Nous sommes restés en contact, nous ne nous sommes en fait jamais vraiment perdus de vue. Nous avons toujours été amants. Lundi, c'est bien plus qu'un amant, c'est mon confident. Je fais l'amour avec lui parce que cela fait partie de notre façon de communiquer. On fait l'amour et on parle. Beaucoup. On rit beaucoup, aussi. Personne ne sait quoi que ce soit. Ni la femme de Lundi, ni mon mari. Veux-tu en savoir plus ? »

« OUI. »

Roxane arrêta sa lecture. Il était encore temps d'y renoncer. Ce serait gênant d'avouer à François Del qu'elle avait lu son texte en

251

entier, un texte visiblement intime. Qu'allait-elle faire ? Quelle situation embarrassante ! Ne devrait-elle pas lui envoyer un courriel, là, tout de suite, pour lui expliquer ? Oui, elle devrait. Mais elle ne le pouvait pas. Elle en était incapable.

Les mots l'appelaient, encore et encore.

Hypnotisants. Ensorcelants. Impossible de détacher ses yeux de l'écran. Roxane voulait absolument connaître la suite. Elle imaginait François Del en train d'écrire, seul, chez lui, dans sa grande villa remplie de livres. Le vent soufflait contre le toit vert, et en bas, les vagues se fracassaient contre la plage. Il écrivait, tard dans la nuit.

Roxane s'éloigna à contre-cœur de l'ordinateur, se planta debout devant la fenêtre, promena un regard agité sur la Villa Belza. Elle tenta de réfléchir. De se calmer. Elle téléphona à ses parents, à sa sœur, à quelques amis. Elle les écouta sans les entendre, elle ne pensait qu'aux mots sur son écran.

Elle finit par allumer la télévision, regarda distraitement les informations, une émission de divertissement, sans les voir. Elle prit un bain, resta le plus longtemps possible dans l'eau, jusqu'à ce que la peau de ses doigts devienne fripée.

Toute résistance était vaine.

Roxane retourna devant l'écran.

Devant ses mots.

Ses mots, à lui.

Épisode 5

« Nous nous donnons rendez-vous dans un hôtel,
toujours le même. Un petit hôtel charmant, près
d'une gare. La patronne nous connaît. Si l'un ou
l'autre manque le rendez-vous, ce n'est pas grave, on
se voit le mois d'après. Je pars tôt du bureau pour
tout organiser : champagne au frais, bougies, roses
rouges. À chaque fois, j'ai l'impression étrange et
merveilleuse de redécouvrir un corps que je connais
pourtant par cœur. De le redécouvrir autrement,
d'une façon nouvelle. Nous ne sommes pas là pour
un marathon sexuel. Nous nous retrouvons, simplement. Parfois, nous faisons l'amour sans bouger,
pendant des heures, imbriqués l'un dans l'autre,
comme dans un rêve sensuel. Parfois, nous nous
massons avec des huiles. C'est divin, un homme
tendre comme lui. Il murmure qu'il me trouve

belle, que ma peau est si douce. Nous prenons tout notre temps. C'est délicieux ! Chaque geste, chaque caresse est chargée d'émotion. Je me laisse totalement aller. J'oublie tout, avec lui. J'ai l'impression que chaque millimètre de ma peau s'ouvre comme une fleur au soleil. C'est mon jardin secret, mon ballon d'oxygène. Jamais je ne pourrais me passer de mon Lundi. »

J'avais supplié qu'elle m'envoie la suite.

La suite de la liste de ses amants.

Pas de réponse pendant un long moment. Puis enfin, des nouvelles d'elle.

« Pardonne-moi, mais je suis à Berlin, pour une conférence, et j'ai moins de temps pour t'écrire. L'amant numéro deux, c'est un kinésithérapeute Ne glousse pas ! J'avais un torticolis et on me l'a conseillé. C'est ainsi que je l'ai connu. C'est un trentenaire sombre, un taiseux avec un toucher de rêve. Banal, me diras-tu ? Convenu ? Cliché ? Peut-être. Mais quand je sors d'une séance de "massage" avec lui, j'ai l'impression que le monde m'appartient. Je ne sais pas s'il fait ça avec d'autres patientes, et je m'en fiche. Il me masse et ensuite me fait l'amour d'une façon tellement sauvage que j'en ai le souffle coupé. On n'a rien à se dire et on n'échange à peine quelques mots. On se voit deux ou trois fois par an. Personne n'en sait rien. Et que veux-tu savoir d'autre, mon jeune ami ? »

Elle faisait exprès, ma belle nomade, d'attendre pour m'écrire. C'était merveilleux et insupportable. Je pensais à elle, en train de rédiger ces mails rien que pour moi.

« Tu veux savoir si j'aime mon mari ? Tu es bien audacieux. Mais je vais te répondre. Je le respecte, et tout se passe bien avec lui, dans tous les sens du terme. À quarante ans, on se connaît, on sait comment donner, prendre du plaisir, on le sait beaucoup mieux qu'à trente ou vingt ans. Pourquoi je te raconte tout cela ? Parce que je te fais confiance. Parce que tu me poses toutes ces questions. Parce que je sais qu'un jour, toi et moi...

Plus je mûris, plus mon plaisir est grand. Pourquoi ? Comment ? Parce que je sais mieux "l'attraper" ? Parce que j'ai compris comment l'apprivoiser, l'attiser ? Pourtant, je n'ai rien fait. Je n'ai rien cherché. C'est arrivé comme ça, avec le temps qui passe. Je ressens souvent, en pleine journée, en plein boulot, des envies d'amour, de caresses comme jamais, des sensations brutales, presque enivrantes, d'une puissance inconnue. Je n'en ai pas peur. Je veux les vivre à fond, je veux en profiter tant que c'est là, tant que je peux. Je me dis que vivre à fond, vraiment vivre, c'est ça : aimer, faire l'amour, jouir. Mais, vois-tu, ces aventures demandent une organisation infernale. Il ne faut jamais commettre d'erreur. Toujours faire attention. Gérer tout cela comme je gère mon travail. Ne jamais faire les choses à moitié. C'est ça le plus fatigant, l'organisation. Parfois je pense à mon mari. Faut-il lui dire ? Lui expliquer ? Je ne le pense pas. Ce serait trop difficile pour lui. Trop humiliant. Il ne pourrait pas comprendre. D'ailleurs, qui peut vraiment me comprendre ? C'est mon mari que j'aime ; c'est avec lui que je veux vivre, finir mes jours. Il ne se doute de rien. C'est mieux ainsi. »

Et d'autres questions encore, sur sa vie intime de femme. Elle me répondait toujours, en détail. Elle se livrait par écrit. Comme si elle savait que c'était important pour moi.

Pendant deux mois, nous avons échangé des dizaines d'e-mails. Je les guettais, fébrile, impatient. Cette femme d'âge mûr, qui se confiait à moi, c'était un rêve secret.

Je ressentais l'impression grisante de pénétrer dans son intimité, moi qui n'avais connu que des gamines de mon âge. Je lui posais question sur question.

« Tu sais, je n'ai jamais été fidèle de ma vie. Cela te choque ? La fidélité m'ennuie. Je suis comme un homme, j'ai besoin de séduire. C'est plus fort que moi. Quand j'ai un amant, je me sens encore plus belle pour mon mari. J'ai l'impression de lui donner le meilleur de moi-même, d'être une femme désirable qui plaît mais qui n'aime que lui. Je sais ce que certains pourraient penser de mon discours. C'est pour cela que je me tais. Ce qu'on vit au sein d'un couple est une chose personnelle, intime. L'infidélité, tout le monde est un jour ou l'autre concerné, alors à chacun de la gérer à sa façon, n'est-ce pas ? Moi, je n'ai pas envie d'en faire un drame. Je n'ai pas envie de larmes, de douleur. La vie est trop courte. Je veux continuer à vibrer. Continuer à jouir de cette vie secrète. Comprends-tu ? Ne me juge pas. Toute ma vie, le plus longtemps possible, je souhaite ressentir ces pulsions, cette excitation intense. C'est vrai, c'est comme une sorte de drogue. Quand j'ai rendez-vous avec un amant, quand je sais que je vais me donner à un homme, c'est une sensation qui me porte, qui m'emporte. C'est ce qui me permet de vivre. »

Maintenant, ma belle nomade blonde était là. Devant moi.

Elle était venue. J'avais simplement demandé qu'elle vienne. Rien d'autre.

J'avais dit par écrit : « Viens. Je t'attends. »

Dans le studio d'un ami, qui donnait sur la plage de la Chambre d'Amour.

Je l'attendais allongé sur le lit, nu. J'avais tiré les rideaux. Il faisait noir. J'ai entendu la porte d'entrée claquer, puis le bruit de ses talons sur le carrelage.

Elle était là, dans la semi-obscurité de la chambre.

Un parfum de femme que je ne connaissais pas.

Le portable de Roxane retentit, la faisant sursauter. Alexandra, une de ses meilleures amies. Elle fut tentée de ne pas répondre, tant le récit de François Del la fascinait. Elle hésita. Puis, elle prit l'appel.

« Allô, Roxy ? » s'exclama l'intarissable Alexandra. « Je sais, il est super tard, mais tu ne veux pas venir prendre un pot, là, chez Lara, à Bidart ? Je suis en route, je passe te prendre ? Suis pratiquement en bas de chez toi ! J'arrive ! »

Épisode 6

Roxane s'arracha avec difficulté de l'histoire torride écrite par François Del. Elle savait bien que cela lui ferait du bien de sortir de chez elle, de s'amuser. Pendant toute la soirée, pourtant divertissante, elle ne cessa de penser à François Del. Dès qu'elle apercevait dans le ciel sombre le rayon du phare, elle l'imaginait, lui, dans la villa au toit vert.

— Tu es dans la lune, toi, dis donc ! s'amusa Alexandra.

— J'ai rencontré un type…, sourit Roxane.

— Raconte ! s'empressa de dire son amie, tout ouïe.

Roxane lui fit le récit. L'auteur troublant. La villa qui donnait sur la Chambre d'Amour, le livre sur le vieux Biarritz, la clef USB.

— Tu veux dire que sur la clef USB, il y a un autre texte, plutôt *hot*? C'est dingue! Une histoire qui parle de quoi?

Roxane lui raconta, à voix basse. La femme blonde, les confessions par mail, le petit studio de la Chambre d'Amour… Elle n'avait pas fini de le lire. Mais surtout, ce qui la tracassait le plus, c'était qu'elle ne savait pas comment le dire à François Del.

— Tu dois lui avouer tout de suite! s'exclama Alexandra. Tu lui dis tout, très naturellement. À moins que…

Elle leva l'index, les yeux ronds.

— À moins que quoi? demanda Roxane, intriguée.

Alexandra eut un large sourire.

— À moins que ce François Del ait fait exprès de se tromper de clef.

— Oh! Mais il ne me connaît pas! On ne s'est jamais vus!

— Tu es certaine? persista Alexandra.

Roxane réfléchit.

— Je ne sais pas… J'ai un doute, tout à coup! Tu sais, quand je travaille, je suis tellement prise par les textes, le nez devant mon ordinateur, et je ne vois pas toutes les personnes qui rentrent et qui sortent.

Alexandra s'amusa :

— C'est ça ! Il a dû venir un matin aux éditions, il a dû t'apercevoir... Toi, tu ne vois rien. Et quand tu viens chez lui, il te refile la clef avec le récit *hot*.

Roxane éclata de rire.

— N'importe quoi !

Roxane n'avait qu'une envie à présent, rentrer et lire la suite de l'histoire. Mais elle dut encore patienter ; écouter les rires et les blagues de ses amis. Lorsqu'elle monta enfin chez elle, il était tard. Elle se précipita devant son ordinateur pour reprendre la suite de l'histoire.

J'avais envie d'elle. J'avais envie d'elle depuis que j'avais posé les yeux sur elle, pour la première fois, à ce cocktail.

J'avais envie d'elle encore davantage depuis qu'elle m'avait confessé ses aventures secrètes, ses désirs.

J'ai gardé les yeux fermés. J'ai senti qu'elle s'asseyait sur le coin du lit. Pendant quelques secondes, elle n'a rien fait. Elle devait me regarder. Puis elle a placé ses mains à plat sur le matelas, de chaque côté de mes hanches, et j'ai senti son souffle sur mon bas-ventre, ensuite la caresse de ses cheveux soyeux.

Elle a posé ses lèvres sur ma peau. Très lentement, elle a remonté le long de mon ventre avec sa bouche, puis avec sa langue. Elle a caressé ma cuisse droite d'une main.

Ses gestes, précis. Doux. Divins. Sa bouche, comme du velours.

Il y avait un silence intense dans le petit studio sombre. Au début, je n'ai pas bougé. Je me suis promis de rester immobile. Maître de moi-même. Mais j'ai vite compris que c'était trop difficile.

J'avais peu d'expérience. Et elle, tant. Elle savait comment me toucher. Où me toucher. Comment me faire frissonner. Je devais m'abandonner totalement à elle. En silence. Dans ce silence total. Cette pénombre délicieuse.

Elle m'a arraché un cri que j'entends encore. Il a pris son essor au plus profond de mon être. Un cri viscéral. Le plaisir était fulgurant. Inoubliable. J'ai mis un moment à revenir à moi-même. Ce fut un instant étrange, un flottement. Que lui dire ? Merci ? Je n'osais pas. Je ne rêvais que d'une chose, qu'elle revienne, et qu'elle recommence ce qu'elle venait de faire.

Mais la femme de la Chambre d'Amour n'est jamais revenue.

Ma belle nomade. J'avais beau lui écrire, elle ne me répondait plus.

Une voix mécanique m'indiquait que le numéro de son téléphone portable n'était plus attribué.

Je ne savais pas comment la joindre, je n'avais même pas son adresse postale, je ne savais pas si elle vivait à Biarritz, ou dans ses environs. J'avais tout essayé. J'avais interrogé les personnes que je connaissais qui étaient présentes à ce fameux cocktail. Cela n'avait rien donné. Attente. Incertitude. Angoisse.

Il fallait bien me rendre à l'évidence. Elle ne me donnerait plus jamais signe de vie.

Un jour, peut-être, je la croiserai dans une soirée, un vernissage, ou dans un restaurant du coin. Ou peut-être dans un train, un aéroport? Elle me dira bonjour gentiment, comme si de rien n'était. Elle m'aura peut-être oublié.

Une bourgeoise lisse qui ne laisse rien filtrer de ce qu'elle est capable de faire à un jeune homme, dans l'obscurité d'une chambre. Je regarderai ses mains et ses lèvres, discrètement, si son mari est là ou si je suis accompagné.

Pendant quelques secondes fugaces, je sais qu'on pensera tous les deux au petit studio de la Chambre d'Amour.

Elle ferait partie de ces femmes qu'on n'oublie pas.

Ces femmes qu'un homme n'oublie jamais. Sa vie entière.

Mais je ne savais pas que j'allais la revoir, une décennie plus tard.

J'étais loin de me douter de ce qui allait se dérouler à nouveau entre nous. Tout s'est passé l'année dernière. À Biarritz. Un restaurant derrière le Casino. J'étais arrivé en retard. Il pleuvait. J'ai poussé la porte et

Le texte s'arrêtait là. Net.

Roxane avait beau aller jusqu'à la fin du document, il n'y avait plus rien. Comme c'était rageant ! Elle aurait tant voulu savoir ce qui allait se passer à nouveau entre le narrateur et cette femme blonde.

Roxane frissonnait. L'histoire l'avait troublée. Elle resta longtemps devant l'ordinateur. Mais que devait-elle faire, à présent ? Fallait-il lui avouer qu'elle avait lu cette nouvelle, ainsi qu'Alexandra le préconisait ? Elle prépara un e-mail qu'elle ne lui envoya pas.

Une fois au lit, Roxane pensa encore à lui, François, à son regard clair et profond, à cette odeur qui flottait autour de lui.

Qui était le narrateur de ce qu'elle avait lu ? Lui, plus jeune ? Était-ce une histoire vraie ? Avait-il réellement vécu une aventure avec cette blonde élégante ? Quelle était la part de vérité ? Était-ce le début d'un roman ? Quelle en était la fin ?

Roxane s'imagina blottie dans ses bras. Ses mains sur son corps, sur ses seins, sur ses hanches... Ses lèvres sur les siennes... La chaleur de sa bouche. Le goût de sa salive. Depuis leur rencontre de cet après-midi, elle se rendit compte qu'elle n'avait pas cessé de penser à lui. Et que chaque fois qu'elle le faisait, la petite flamme d'allégresse s'allumait dans son bas-ventre.

Épisode 7

Le lendemain matin, avant d'aller aux éditions, Roxane sonna au perron de la villa de la Chambre d'Amour.

Elle avait mis longtemps à choisir sa tenue. Sa garde-robe entière lui semblait d'une fadeur sans nom. Elle se décida finalement pour une jupe de coton blanche et un T-shirt bleu turquoise. Des sandales fines.

Rien que de le revoir la troublait. Trouble rendu d'autant plus ensorcelant par ce qu'elle avait lu sur son ordinateur. Cette histoire inachevée la hantait. Elle voulait connaître la suite. Qui était cette belle nomade blonde? Comment aborder le sujet avec lui? Et s'il avait remarqué l'inversion des clefs USB?

Qu'allait-elle bien pouvoir lui répondre ? Tant de questions.

Pendant qu'elle patientait, fébrile, le labrador vint lui faire la fête. Elle caressa sa grosse tête carrée.

— Alors, lui dit-elle, où est ton maître ? Il fait la grasse matinée ?

— Vous en connaissez beaucoup, des surfeurs qui font la grasse matinée ?

Elle se retourna pour découvrir François, vêtu d'un maillot de bain. Il remontait de la plage, une serviette passée autour des épaules.

Roxane laissa ses yeux traîner sur le torse musclé et bronzé.

— Voulez-vous un café ? demanda-t-il.

Elle acquiesça. Elle le suivit dans une cuisine moderne. Il lui tournait le dos et, de nouveau, elle ne put empêcher son regard de descendre le long de ses larges omoplates jusqu'à ses reins.

Qui était la dernière femme à avoir caressé cette peau souple et dorée ? Qui serait la prochaine ? Avait-il quelqu'un dans sa vie ? Une petite amie régulière ? Plusieurs ? Une fiancée ? Une ex ?

François lui tendit une tasse de café. Leurs doigts se frôlèrent.

Ils burent ensemble, debout dans la grande cuisine, le labrador à leurs pieds.

— Que me vaut cette visite matinale? demanda-t-il enfin avec un sourire.

Le moment était venu.

Elle respira lentement.

— Je crois que vous ne m'avez pas donné la bonne clef USB, dit-elle, le plus calmement possible. Je suis venue vous la rendre et prendre l'autre.

François posa sa tasse de café. Son visage était imperturbable. Roxane ouvrit son sac, lui tendit la clef.

Il la prit, l'examina. Ses yeux avaient une expression indéfinissable.

— Avez-vous lu ce qu'il y a sur cette clef?

Le regard clair s'était intensifié.

Il semblait la fouiller, la mettre à nu.

Roxane hésita.

Mentir? Dire la vérité?

Tandis que le silence s'éternisait entre eux, que les yeux de François devenaient de plus en plus fixes, la sonnerie du téléphone fixe vint interrompre l'hésitation de Roxane.

François décrocha, marmonna « Allô ? » sans quitter Roxane du regard.

La conversation s'éternisa. Un problème de livraison. Elle n'écoutait pas tant elle était nerveuse. Pour se donner une contenance, elle caressa le chien, lui parla à voix basse.

François raccrocha enfin.

Le silence s'installa à nouveau ; un silence lourd.

— Alors ? Vous l'avez lu, n'est-ce pas ? demanda-t-il.

Sa voix était basse, intense.

Roxane se redressa.

— J'ai parcouru les premières lignes, c'est vrai. Je me suis rendu compte qu'il ne s'agissait pas de votre livre, alors j'ai arrêté tout de suite ma lecture.

— La vérité, s'il vous plaît.

Elle respira.

— Oui, j'ai tout lu. Je n'ai pas pu m'arrêter. J'ai tout lu.

Elle leva le menton. Osa même un sourire.

Pourquoi avoir honte, après tout ? Elle n'avait rien fait de mal. Elle avait juste lu ce texte. Rien d'autre.

Il but son café en silence, sans dire un mot. Ses yeux ne quittaient pas le visage de Roxane.

Le regard clair était énigmatique. Qu'y décelait-elle ? Une pointe d'humour ? Un agacement ? De l'impatience ?

François Del ne parlait plus. Il regardait dehors à présent, vers le grand jardin en pente rempli d'hortensias touffus. Il semblait réfléchir. Roxane se sentait impuissante. De trop. Énervée.

La sonnerie du portable de François retentit avec stridence. Il se détourna d'elle pour y répondre. Cette fois, c'était une histoire de retrouvailles pour une séance de surf. Des dates qui semblaient compliquées à trouver. Roxane se détourna de lui pour faire quelques pas dans le salon avoisinant. Elle ne comprenait rien à ce type. Elle pensa à ce que lui avait dit Alexandra hier soir. Peut-être que François Del avait fait exprès de lui donner cette clef. Était-ce possible ? Au fond, Alexandra avait peut-être raison. Que cherchait-il alors ? Son approbation ? Son aide pour publier ce texte ? Si c'était le cas, il aurait donné la clef directement à Roger. Elle

271

n'était pas éditeur, après tout, simplement une assistante éditoriale.

Le portable de Roxane vibra dans sa poche. Un SMS de son patron, Roger. Il se demandait où elle était. Avait-elle eu un souci ? Elle se rendit compte qu'elle avait en effet oublié de le prévenir. Elle répondit rapidement qu'elle était avec François Del.

Un deuxième SMS de Roger suivit immédiatement : Tout va bien ?

Réponse de Roxane : Oui, tout OK.

Un deuxième SMS de Roger, plus long.

Depuis que François t'a vue au bureau la semaine dernière, il n'a pas cessé de parler de toi. Je ne devrais pas te le dire, mais il a fait des pieds et des mains pour que ce soit toi qui viennes récupérer la clef USB chez lui. Tu lui as tapé dans l'œil. Tu as dû t'en rendre compte, non ?

Le cœur de Roxane s'emballa. Elle décida d'attendre dehors. François était toujours pendu au téléphone. Elle descendit vers la plage de la Chambre d'Amour. Il fallait qu'elle reprenne ses esprits, qu'elle se calme. Mais quelle ivresse ! Quelle excitation ! Maintenant elle savait. Il lui avait donné, exprès ! Elle faillit rire tout haut. Elle ne put s'empêcher de faire un petit bond, telle une fillette.

À cette heure, il n'y avait presque personne sur la plage. Quelques surfeurs, quelques baigneurs. Les gens viendraient plus tard, lorsque le soleil serait plus haut dans le ciel et la chaleur plus intense. Roxane ôta ses sandales et s'assit sur le sable. Elle admira le calme et la splendeur du lieu, posa son front chaud sur ses genoux, laissa la brise venant de la mer la rafraîchir. Près de la plage, quelques immeubles. Était-ce là que François avait donné rendez-vous à la blonde distinguée ? Était-elle venue le retrouver ici, dans une chambre aux rideaux tirés qu'il n'avait jamais pu oublier ?

Roxane ne pouvait s'empêcher de sourire. La petite flamme dansait dans son ventre. Elle avait oublié ce goût du bonheur, d'une joie simple, de jouir de la vie, de se laisser porter par elle.

Elle se leva pour marcher près de la mer. L'eau fraîche chatouilla ses pieds nus. Derrière elle, dans la falaise grise, Roxane devina l'entrée d'une petite grotte. Quelqu'un lui avait dit un jour qu'elle avait été comblée pour éviter d'autres accidents.

François devait la chercher. Il avait dû ouvrir la porte du perron et se demander où elle était passée. Elle se doutait qu'il allait venir la retrouver sur la plage.

Elle sentait sa présence dans son dos, devinait qu'il s'approchait.

Il était là, juste derrière elle. Son souffle sur son cou.

Dans l'air salé dansait la promesse de l'été à venir, la peau qui se dore au soleil, la caresse des vagues, la douceur d'une parenthèse estivale. Le silence entre Roxane et François n'était plus pesant. Il était délicieux, sous-tendu d'une attente, d'un non-dit. Elle le savoura. Elle se retourna vers lui. Le vent jouait avec ses mèches brunes. Il lui souriait.

Plus besoin de paroles. Juste le bruit des vagues, le murmure du vent sur la plage de la Chambre d'Amour.

Ils restèrent ainsi un long moment, sans se parler, puis Roxane avança d'un pas pour se rapprocher de lui, aussi près que possible, sans le toucher, jusqu'à ce qu'elle sente cette odeur qui lui plaisait tant. Jusqu'à ce qu'elle constate qu'il tremblait légèrement, grisé de sa proximité.

Puis elle lui dit, à voix basse :

« Raconte-moi la fin de l'histoire. S'il te plaît. »

Table

Café Lowendal 7

Amsterdamnation 77

La Tentation de Bel-Ombre 93

Un bien fou 107

Ozalide 117

Sur ton mur 147

La Méthode « K » 163

Constat d'adultère 173

Dancing Queen 213

La Femme de la Chambre d'Amour 225

Tatiana de Rosnay
dans Le Livre de Poche

À l'encre russe   n° 33301

L'Enveloppe a valu à Nicolas Kolt un succès international et une notoriété dans laquelle il tend à se complaire. C'est en découvrant la véritable identité de son père et en fouillant jusqu'en Russie dans l'histoire de ses ancêtres qu'il a trouvé la trame de son premier roman. Depuis, il peine à fournir un autre best-seller à son éditrice. Trois jours dans un hôtel de luxe sur la côte toscane, en compagnie de la jolie Malvina, devraient l'aider à prendre de la distance avec ses fans. Un week-end tumultueux durant lequel sa vie va basculer…

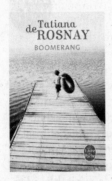

Sa sœur était sur le point de lui révéler un secret… et c'est l'accident. Elle est grièvement blessée. Seul, l'angoisse au ventre, alors qu'il attend qu'elle sorte du bloc opératoire, Antoine fait le bilan de son existence : sa femme l'a quitté, ses ados lui échappent, son métier l'ennuie et son vieux père le tyrannise. Comment en est-il arrivé là ? Et surtout, quelle terrible confidence sa cadette s'apprêtait-elle à lui faire ? Entre suspense, comédie et émotion, *Boomerang* brosse le portrait d'un homme bouleversant, qui nous fait rire et nous serre le cœur. Déjà traduit en plusieurs langues, ce roman connaît le même succès international que *Elle s'appelait Sarah*.

Le Cœur d'une autre   n° 31828

Bruce, un quadragénaire divorcé, un peu ours, un rien misogyne, est sauvé *in extremis* par une greffe cardiaque. Après l'opération, sa personnalité, son comportement, ses goûts changent de façon surprenante. Il ignore encore que son nouveau cœur est celui d'une femme. Mais quand ce cœur

s'emballe avec frénésie devant les tableaux d'un maître de la Renaissance italienne, Bruce veut comprendre. Qui était son donneur ? Quelle avait été sa vie ? Des palais austères de Toscane aux sommets laiteux des Grisons, Bruce mène l'enquête. Lorsqu'il découvrira la vérité, il ne sera plus jamais le même...

Elle s'appelait Sarah   n° 31002

Paris, juillet 1942 : Sarah, une fillette de dix ans qui porte l'étoile jaune, est arrêtée avec ses parents par la police française, au milieu de la nuit. Paniquée, elle met son petit frère à l'abri en lui promettant de revenir le libérer dès que possible. Paris, mai 2002 : Julia Jarmond, une journaliste américaine mariée à un Français, doit couvrir la commémoration de la rafle du Vél'd'Hiv. Soixante ans après, son chemin va croiser celui de Sarah, et sa vie changer à jamais. *Elle*

s'appelait Sarah, c'est l'histoire de deux familles que lie un terrible secret ; c'est aussi l'évocation d'une des pages les plus sombres de l'Occupation. Un roman bouleversant sur la culpabilité et le devoir de mémoire qui connaît un succès international, avec des traductions dans vingt pays. *Elle s'appelait Sarah* a obtenu le prix Chronos 2008, catégorie Lycéens, vingt ans et plus.

La Mémoire des murs   n° 31905

Pour sa nouvelle vie de femme divorcée et sans enfant, Pascaline a trouvé l'appartement qu'elle voulait. Mais contre toute attente, elle se sent mal dans ce deux-pièces pourtant calme et clair. Elle apprend qu'un drame y a eu lieu mais elle décide malgré tout de rester entre ces murs marqués par la tragédie, qui lentement la poussent à déterrer une ancienne douleur, qu'à quarante ans elle devra affronter.

Moka

Une Mercedes couleur moka renverse Malcolm, 14 ans, avant de disparaître en trombe... Un enfant dans le coma, une famille qui se déchire et une mère qui ne renoncera jamais à découvrir la vérité. Qui s'est enfui en laissant son enfant sur la route ? Pleine de suspense, cette intrigue savamment menée nous fait découvrir un émouvant portrait de femme, digne de Daphné Du Maurier. Un roman fort et captivant.

Partition amoureuse

n° 34017

« Quatre hommes, quatre notes. Toi un *do*, première note de la gamme comme alpha est la première lettre de l'alphabet. Manuel est un *sol* aux accents inquiétants, la dominante de la gamme de *do*. Pierre est un long *ré* tourmenté. Hadrien ne serait-il pas mon *la*, note de référence, celle dont un chef a besoin pour diriger un orchestre, celle qu'il me faut désormais pour apprendre à diriger ma vie ? » Margaux, célèbre chef d'orchestre, décide, à l'approche de ses 40 ans, d'inviter à dîner les hommes qui ont le plus compté pour elle. C'est l'occasion d'un bilan, le moment d'assumer les échecs du passé afin de mieux savourer ses bonheurs présents. Avec lucidité, Margaux dresse l'inventaire de sa vie amoureuse, comme elle le ferait sur une partition, chacun de ses amants apportant sa cadence.

Rose n° 32482

Paris sous le Second Empire. Les ambitieux travaux d'Haussmann détruisent des quartiers entiers, générant des milliers d'expropriations douloureuses. Loin du tumulte, Rose Bazelet mène une vie paisible, au rythme de sa lecture du *Petit Journal* et de ses promenades au Luxembourg. Jusqu'au jour où elle reçoit la fatidique lettre du préfet : sa maison, située sur le tracé du boulevard Saint-Germain, doit être démolie. Liée par une promesse faite à son mari, elle ne peut se résoudre à partir. Contre le baron, contre l'empereur, Rose va se battre pour sauver la demeure familiale qui renferme un secret jalousement gardé…

Son carnet rouge n° 33614

Le fruit est-il plus savoureux lorsqu'il est défendu ? L'interdit est-il synonyme de plaisir ? De la duperie démasquée à la vengeance machiavélique, Tatiana de Rosnay revisite dans ces onze nouvelles les amours illégitimes et envisage tous les scénarios – tantôt tragiques, tantôt cocasses – avec une légèreté teintée de sarcasme, jusqu'à une chute souvent croustillante, parfois glaçante. Un jouissif « déshabillage » du délit conjugal, où le rire se mêle à la compassion et la transgression au désir.

Spirales n° 32873

Hélène, la cinquantaine paisible, mène une vie sans histoires auprès de son mari, de son fils, de sa fille et de ses petits-enfants. Hélène est une épouse modèle, une femme parfaite. Un jour d'été caniculaire à Paris, sur un coup de tête, elle cède aux avances d'un inconnu. L'adultère vire au cauchemar quand, au lit, l'amant sans nom meurt d'une crise cardiaque. Hélène s'enfuit, décidée à ne jamais en parler et, surtout, à tout oublier. Mais, dans son affolement, elle laisse son sac à main… avec ses papiers. Happée par une spirale infernale, Hélène ira très loin pour sauver les apparences. Très loin, mais jusqu'où? Dans ce roman au suspense hitchcockien, Tatiana de Rosnay explore les arcanes de la bonne conscience et la frontière fragile entre le bien et le mal.

Le Voisin   n° 32094

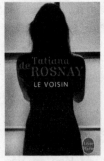

Un mari souvent absent. Un métier qui ne l'épanouit guère. Un quotidien banal. Colombe Barou est une femme sans histoires. Comment imaginer ce qui l'attend dans le charmant appartement où elle vient d'emménager? À l'étage supérieur, un inconnu lui a déclaré la guerre. Seule l'épaisseur d'un plancher la sépare désormais de son pire ennemi… Quel prix est-elle prête à payer pour retrouver sommeil et sérénité? Grâce à un scénario implacable, Tatiana de Rosnay installe une tension psychologique extrême. En situant le danger à notre porte, elle réveille nos terreurs intimes.